C000040733

COLLECTION DIRIGÉE PAR JEAN-PHILIPPE ARROU-VIGNOD

Pour en savoir plus :
http://www.cercle-enseignement.fr

Les douze travaux d'Hercule

Illustrations de Rémi Saillard

Adapté et raconté
par Isabelle Pandazopoulos

Carnet de lecture
par Isabelle Pandazopoulos

GALLIMARD JEUNESSE

À Serge Boimare

Prologue

Approche, cher lecteur, approche et regarde...

En Grèce, il existe une montagne, le mont Olympe. On raconte que les dieux y jouissent pour l'éternité d'une vie de plaisirs.

Approche encore un peu...

Vois-tu cette immense table chargée de victuailles, regorgeant d'ambroisie et de nectars subtils ? Et ces femmes qui dansent, les Muses, et font entendre leurs belles voix, chantant la gloire des dieux qu'ils aiment à entendre et réentendre mille fois ?

As-tu remarqué le plus gourmand d'entre eux, mais aussi le plus fort et le plus orgueilleux ? Non pas Zeus. Celui-là est le maître des lieux, le dieu des dieux, avec la foudre dans sa main.

Plutôt celui qui réclame à cor et à cri qu'on raconte son histoire, celle qui lui a permis de siéger parmi les Immortels alors qu'il est né au milieu des hommes. Il se nomme Héraclès et puisque les autres refusent d'entendre ses exploits, il sort de table pour écouter ce qu'en disent les hommes.

Mais soudain, furieux, il se plante devant Zeus, criant à l'imposture car sur terre, désormais, on ne parle plus de lui mais d'un certain Hercule qui aurait accompli les mêmes exploits que lui, connu les mêmes malheurs, combattu les mêmes monstres.

– Il me faut rétablir la vérité ! hurle-t-il hors de lui.

Contre toute attente, Zeus part d'un grand éclat de rire.

– Si tu étais un peu moins vaniteux, tu aurais remarqué, mon cher Héraclès, que les Romains m'appellent désormais Jupiter. Quant à Héra, ma femme, ils la nomment Junon !

– Et tu les laisses faire ? Comment est-ce possible ?

– Mais notre histoire ne nous appartient pas, Héraclès. Elle n'existe que parce que les hommes en font le récit, la transforment, la réinventent à chaque fois qu'ils la disent. Tu as vu que les Grecs eux-mêmes, dans chaque région, racontent certains de tes exploits qui ont eu lieu ailleurs, dressent des temples en ton honneur, moulent des vases à ton image et qu'à chaque fois ton histoire y est agrémentée de détails différents. Aujourd'hui, c'est au tour des Romains de s'emparer de ta légende, tu n'y peux rien !

– Mais je n'ai aucune envie de m'appeler Hercule, maugrée Héraclès.

– C'est pourtant ce nom-là qui restera dans l'Histoire. Il va falloir t'y habituer.

– Hercule... Hercule... les douze travaux d'Hercule... Décidément, je ne m'y fais pas. L'histoire, la mienne, qui donc la racontera ?

– Mais c'est la même ! Les Romains sont devenus peu à peu les maîtres en Méditerranée tandis que la Grèce devenait plus fragile. Ton histoire n'est donc pas perdue, au contraire, elle se raconte encore et trouvera à travers les siècles des oreilles attentives, crois-moi...

Héraclès le croit sans peine. Il est certain que ses exploits resteront inégalés pour tous les siècles à venir.

Zeus a bien raison. Puisque c'est ton tour, cher lecteur, de découvrir les aventures d'Héraclès, les douze travaux qu'il lui a fallu effectuer avant de pouvoir vivre éternellement dans l'Olympe.

Première partie

Le temps des origines

1

Un adolescent impétueux

Sur les hauteurs de Thèbes, dans un coin isolé du cœur de la cité, se trouvait un lieu laissé à l'abandon. Personne ne s'y risquait jamais, et pour cause : il était devenu le repaire de jeunes garçons violents, fascinés par la lutte, qui passaient leur journée à se défier pour mesurer leur force et le pouvoir qu'ils avaient sur les autres. En vérité, ils terrorisaient les honnêtes citoyens.

Héraclès se jetait dans l'arène chaque jour, échappant à la surveillance de ses maîtres et au regard vigilant de son père Amphitryon. C'était le seul endroit au monde où il se sentait libre depuis toujours de faire ce qu'il voulait. Ses camarades de jeu l'attendaient tous les jours avec impatience. Pourtant, au fil des années, ils avaient appris à le craindre. Désormais, chez lui, tout les impressionnait : sa taille colossale – il mesurait presque deux mètres – la lueur de feu qui jaillissait de ses yeux, ses accès de rage qui lui faisaient perdre tout contrôle de lui-même. Ils continuaient à l'admirer et à l'attendre avec la même ferveur, mais aucun d'entre eux n'aurait affirmé être de ses amis. Il n'était pas comme eux, ils en avaient la certitude.

Ce matin-là, Héraclès les défiait à la lutte. Ils étaient douze face à lui et ils n'en menaient pas large. Pourtant ils étaient tous un peu plus vieux que lui, déjà presque des hommes tandis qu'il avait à peine quatorze ans. Il leur suffisait de croiser son regard furieux et quelque chose en eux se mettait à frémir, une peur panique qu'ils se gardaient bien de lui montrer, opposant à son rire moqueur et tonitruant la vaillance de leurs muscles et l'envie d'en découdre. Peut-être même rêvaient-ils en secret du jour où, enfin, ils le verraient à genoux en train de leur demander grâce.

Au moment où ils s'apprêtaient à se jeter sur lui, on entendit crier :

– Héraclès !

Tous, ils reconnurent le timbre de cette voix. Amphitryon, une fois encore, était à la recherche de son fils. Et il savait où il devait le chercher. Héraclès soupira, exaspéré, mais relevant le menton, il avança d'un pas, sans quitter des yeux ses adversaires.

– Hééééraclèèèès !

Amphitryon approchait, son fils ne semblait pas l'entendre. Hellanicos se lança :

– Je crois que tu ne vas pas pouvoir te battre ce matin. Tu reviendras tout à l'heure ?

Il n'avait pas fini sa phrase que déjà Héraclès s'était jeté sur lui, donnant le signal du combat. Et tandis qu'il parait chacun de leurs coups maladroits d'un revers de la main, il riait aux éclats.

– Je vous aurai rendus aussi inoffensifs que des brebis avant que mon père ne soit là !

« Quel orgueil ! » se dirent-ils en silence, redoublant d'efforts pour tenter de le mettre à terre. Et tandis que l'un lui enserrait la taille, que l'autre l'attrapait à la gorge, qu'un troisième lui écrasait le pied, et qu'un dernier pesait de tout son poids pour lui faire perdre l'équilibre, il suffit à Héraclès de bomber le torse pour les faire lâcher prise.

C'est alors qu'Amphitryon apparut. Son fils lui jeta un coup d'œil indifférent.

– J'arrive… ! lança-t-il d'un ton nonchalant en même temps qu'il tenait en l'air par un pied l'un de ses adversaires qui se tortillait comme un ver, tête en bas. Les autres s'acharnaient, rouges d'avoir jeté toutes leurs forces dans cette lutte inégale.

Son honneur était en jeu, il lui fallait absolument gagner.

Amphitryon, essoufflé, marmonna :

– Héraclès, je perds patience et je te demande…

– Je sais… je te dis que j'arrive ! l'interrompit son fils, soudain au comble de la colère.

Amphitryon soupira, contraint de regarder la scène en attendant qu'Héraclès lui accorde son attention. C'est ainsi qu'il assista, désemparé, à la victoire de son fils. Fou de joie, Héraclès se tourna vers son père et plongea son regard dans le sien, y cherchant en vain la fierté qu'il essayait de provoquer chez lui. Mais à chaque fois qu'Héraclès déployait ses muscles, le visage de son père se froissait de contrariété. Une seule fois peut-être... Il avait six ans, Amphitryon lui avait appris à conduire son char ; mais c'était tellement loin qu'il avait parfois l'impression d'avoir inventé ce moment de plaisir partagé pour mieux supporter l'attitude offensée que lui opposait constamment son père.

Ils avançaient maintenant côte à côte se dirigeant vers le palais d'un même pas cadencé, dans un silence lourd de reproches mutuels.

En vérité, Amphitryon était fou d'inquiétude. Ce grand garçon à peine sorti de l'enfance prenait la vie comme un jeu, ne mesurant jamais les conséquences de ses actes. Car s'il excellait dans les disciplines sportives et militaires, il semblait dégoûté par les apprentissages. Tous ses maîtres s'accordaient sur ce point : Héraclès était doué, sans doute très intelligent, mais il était incapable de rester concentré et de faire les efforts nécessaires qu'on exigeait de lui. Dès qu'il était assis dans la salle des études, il commençait à s'agiter, refusait de faire ses exercices quand il ne devenait pas insolent. En vain Amphitryon avait-il cherché un maître capable de le faire progresser – il les avait fait venir de toute la Grèce. Héraclès les avait tous usés au point qu'ils finissaient, de guerre lasse, par abandonner. Le dernier, Linos, avait semblé pendant quelques mois trouver grâce à ses yeux. Héraclès avait enfin appris à lire et à écrire. Il faut dire que le maître était rusé : il lui racontait les aventures de Persée, son aïeul qui avait su vaincre l'affreuse Gorgone à la chevelure de serpents et au regard de pierre. Héraclès en redemandait, mais pour apprendre la suite, il avait dû se mettre à déchiffrer les lettres. Sa curiosité avait été plus forte alors que ses difficultés. Il lisait maintenant avec aisance, et Amphitryon en avait été si heureux qu'il lui avait aussitôt offert un arc gigantesque en récompense de ses premiers efforts, espérant que d'autres suivraient. Mais Héraclès avait bien vite cessé d'être studieux, préférant s'exercer au grand air devant ses camarades médusés d'admiration plutôt que de peiner dans la salle d'études où il étouffait.

Ils étaient arrivés au palais de Créon.

– Linos t'attend, dit Amphitryon d'une voix qu'il aurait voulu plus sévère.

– Je sais ! rétorqua Héraclès en levant les yeux au ciel.

– Alors pourquoi a-t-il fallu que je sois obligé d'aller te chercher et attendre que tu daignes achever tes jeux stupides ?

Héraclès baissa la tête, soudain honteux de son effronterie.

– Je te promets...

Amphitryon l'interrompit :

– Ne promets rien que tu ne puisses tenir ! Mets-toi humblement au travail.

Il posa la main sur le bras de ce fils tellement plus grand que lui avant d'ajouter avec douceur :

– Prends exemple sur ton frère !

Héraclès rougit violemment. La honte l'avait quitté aussi vite qu'elle était arrivée, laissant la place à un sentiment violent, farouche, irrépressible : la jalousie qu'il avait d'Iphiclès, ce frère, son faux jumeau, né le même jour que lui et pourtant aussi différent de lui que le sont l'eau et le feu, le jour et la nuit, la terre et le ciel. C'était comme une brûlure dont la douleur ne le quittait jamais, une brûlure à la mesure des satisfactions qu'Iphiclès donnait à son père alors que lui, Héraclès, n'avait jamais suscité que de l'inquiétude.

Tête baissée, sans prononcer un mot, il se détourna et entra dans la salle où l'attendait Linos. Il croisa le regard d'Iphiclès qui, serein et souriant, finissait ses exercices en recevant les compliments du maître.

– Ah, te voilà enfin ! s'exclama Linos, mécontent, tandis qu'Héraclès piétinait sur le seuil, embarrassé malgré tout.

– File à ta table et mets-toi au travail, poursuivit-il, tu as assez perdu de temps comme ça !

Héraclès obéit non sans traîner les pieds, marchant avec une lenteur excessive et, dans les yeux, une lueur ironique, marquant avec ostentation la répugnance qu'il avait d'être là.

– Dis-moi, Héraclès, qu'est-ce que tu viens faire ici ?

L'élève, en guise de réponse, se contenta de hausser les épaules et puis il s'écroula sur le banc. Il regarda de loin les exercices qui l'attendaient sur la table, grimaça et marmonna quelques mots désobligeants qui firent sursauter Linos.

– Qu'est-ce que tu as dit ?

– Rien, je n'ai rien dit, répondit Héraclès, enfin si ! Linos, s'il vous plaît, je ne veux pas faire du calcul aujourd'hui !

Linos soupira et secoua la tête. Décidément ce garçon était incorrigible ! Il ne cherchait qu'une chose : lui faire perdre patience. Et si, intérieurement, le maître luttait contre son envie de le mettre à la porte, renonçant à faire quelque chose de ce jeune homme arrogant et seulement soucieux de faire jouer ses muscles et d'être le plus fort, il ne montra rien de son agacement et de la colère qui bouillait pourtant à l'intérieur de lui.

– D'accord, alors va te choisir un livre parmi ceux qui sont dans la bibliothèque.

Héraclès se leva, un sourire aux lèvres qui se transforma en un rire satisfait quand il entendit son frère protester :

– C'est pas juste ! Moi, cela fait déjà deux heures que je...

– Continue ! ordonna Linos, et cesse donc de te plaindre, tu as bien travaillé.

Héraclès lança un regard de défi à son frère.

– C'est vrai, renchérit-il, il faut bien que tu réussisses quelque chose...

Iphiclès le fusilla du regard.

Héraclès était posté devant la bibliothèque. Il parcourut des yeux l'éventail de ses choix. Rien que des œuvres d'auteurs célèbres : Hésiode, Homère, Euripide...

Mais son œil soudain s'éclaira : un livre de cuisine ! Linos ne savait sans doute pas qu'un tel livre s'était glissé là.

Il s'en empare fièrement et vient le mettre sous les yeux de son maître.

– J'ai choisi celui-là !

– Mais qu'est-ce que c'est ? Tu te moques de moi !

– Non, j'ai choisi dans la bibliothèque !

Il y a une telle insolence dans sa voix que Linos explose de colère.

– Ton arrogance n'a donc pas de limites ? hurle-t-il en lui arrachant le livre des mains.

Héraclès est surpris. Jamais, jusqu'à présent, il n'a entendu Linos élever la voix.

– Mais pourquoi vous criez ? C'est vous qui m'avez demandé...

Linos ne le supporte plus, il suffoque de colère, sa patience est à bout, ce gamin se moque de lui et c'est insupportable. Il bouscule Héraclès, jette le livre à l'autre bout de la salle et, contre toute attente, il gifle son élève.

C'est la première fois de sa vie qu'Héraclès est frappé. Il est hors de lui.

Pris d'une rage sans nom, les yeux exorbités, il se lève et rugit, incontrôlable. Son maître, effrayé devant cette tempête imprévisible, recule d'un pas mais trop tard ! Héraclès s'est saisi d'un tabouret et le lui lance en pleine tête.

Linos s'écroule. Iphiclès, la main devant la bouche, étouffe un cri de frayeur. Il s'approche, tend la main vers son maître, le secoue, se relève et dit d'une voix blanche :

– Il est mort ! Tu l'as tué.

Il s'enfuit en hurlant et court prévenir ses parents.

Héraclès, resté seul, est comme redevenu lui-même. Il observe, ébahi, le corps inerte de ce maître qui a tant fait pour lui. Il murmure :

– Pardonnez-moi, ce n'est pas ça que j'ai voulu ! Je ne l'ai pas fait exprès...

Et il s'effondre en larmes.

Pendant douze jours et douze nuits, Amphitryon resta reclus dans ses appartements. Il lui fallait prendre une décision, si pénible fût-elle, il en était désormais convaincu, se reprochant amèrement de ne pas avoir su le faire assez tôt. Les larmes de sa femme Alcmène, la mère de ses enfants, n'y pouvaient rien changer. Elle l'avait supplié de faire juger leur fils par le tribunal de Thèbes. Mais Amphitryon s'y était obstinément refusé. Alcmène avait même demandé au roi de Thèbes, Créon, de le convaincre mais Amphitryon était resté inflexible. Il connaissait les lois, et celle de Rhadamanthe autoriserait son fils à plaider la légitime défense. Après tout, pourrait soutenir Héraclès, c'était Linos qui avait commencé ! Le pire était qu'on puisse le croire et le bercer de l'illusion qu'il avait agi dans son droit. Amphitryon se refusait à cautionner un crime car c'en était un !

Et puis il y avait une autre chose qu'il n'avait dite à personne et dont la pensée même le faisait rougir de honte. Il pouvait difficilement se l'avouer à lui-même mais la vérité était qu'il avait peur de son fils ! Ou plutôt de cette force incontrôlable qui en faisait un être redoutable. Jusqu'à quand Héraclès accepterait-il d'obéir à son père ? Jusqu'à quand son fils retiendrait-il ses coups quand lui, son père, viendrait à le contrarier ?

Au matin du treizième jour, il fit venir Héraclès.

Quand celui-ci apparut devant lui, pâle et amaigri par le jeûne qu'il lui avait imposé, il sentit ses résolutions faiblir. Héraclès était encore si jeune, il semblait regretter ses actes avec tant de sincérité ! À peine avait-il osé croiser le regard de son père.

D'une voix ferme, Amphitryon prit la parole :

– Héraclès... Ce que tu as fait est impardonnable.

N'attends pas de moi un pardon qui effacerait ta faute. C'est à toi et à toi seul de prendre la mesure de tes actes et de leurs conséquences.

– Je suis désolé, père.

– Les mots sont si peu de chose, mon fils, après un tel crime ! Je te sais honnête aujourd'hui mais qu'en sera-t-il demain ? À peine passé la porte tu vas recommencer à n'en faire qu'à ta tête. Ne dis rien, je le sais, et tu ne peux rien contre. Alors, voilà ce que j'ai décidé : tu vas quitter Thèbes dès maintenant et rejoindre le mont Cithéron pour garder les troupeaux de vaches qui sont un bien précieux. Tu ne reviendras que lorsque tu auras dompté cette force dont tu ne sais que faire. Ce jour-là, je serai là, heureux de te voir devenu un homme.

Alcmène, qui assistait à la scène, ne put retenir ses sanglots.

Abasourdi par les paroles de son père, Héraclès était tombé à genoux. Il resta un long moment prostré, recroquevillé sur lui-même, le visage caché dans ses mains.

Il lui semblait que dans la salle résonnait encore la sentence prononcée par son père. La trouvait-il injuste ? C'est vrai que son crime méritait une sanction exemplaire. Mais alors pourquoi était-il en colère ? Pourquoi cette impression que la vraie raison de son exil était ailleurs ? Pourquoi était-il si sûr que son père lui mentait ?

Dans son âme agitée surgissaient des questions qu'il avait jusqu'alors toujours pris soin de faire taire. Comme s'il était coupable de vouloir rompre ce silence étouffant. Mais l'heure était venue, avant de quitter le lieu de son enfance, d'en avoir le cœur net. Alors il éclaircit sa voix et d'un ton suppliant, il dit :

— Père, avant de partir, je veux savoir...

Amphitryon blêmit sous le regard de feu que lui jetait Héraclès.

C'est donc ainsi que Zeus en avait décidé ? L'heure était venue, c'était à lui de le dire...

— Pourquoi n'es-tu pas roi ? Pourquoi vit-on ici alors que tu es de Mycènes ? Et pourquoi ne dis-tu rien ?

Amphitryon détourna les yeux. Chaque mot brûlait sa peau et faisait resurgir des douleurs qu'il s'acharnait chaque jour à feindre d'oublier. Tant d'années de silence et rien qui n'ait pu s'effacer.

— Je ne peux pas retourner à Mycènes, Héraclès et tu n'as pas à savoir pourquoi. Tu es trop jeune encore. Un jour je te dirai, et beaucoup plus encore... D'abord, il faut que tu grandisses. Allez, il est temps, va maintenant !

Il dit, se leva et s'apprêtait à sortir de la salle quand il entendit rugir dans son dos la voix tonitruante d'Héraclès, hors de lui :

— Et pourquoi tu préfères mon frère Iphiclès ?

Amphitryon tituba comme sous la violence d'un

coup, ne se retourna pas, continua d'avancer, laissant derrière lui son fils sans réponse. Arrivé dans ses appartements, il laissa éclater son désespoir et, tourné vers le ciel, il eut ces mots étranges :

– Zeus, est-ce à moi de le dire ? Pourquoi ne m'aides-tu pas ? Que dois-je faire, Zeus ? Réponds-moi !

Le ciel était d'un bleu azur. Un soleil écrasant brillait au-dessus de Thèbes. Avec le même éclat, il réchauffait Mycènes. Mais pas un souffle d'air ne vint apporter de réponse au roi exilé de ses terres.

Pendant ce temps, dans la salle où avait été prononcée la sentence, Alcmène avait rejoint son fils, l'avait pris dans ses bras où il s'était réfugié comme un tout petit, pleurant à chaudes larmes. Cela faisait bien longtemps qu'elle n'avait pas senti son enfant tout contre elle. Obscurément, elle savait que plus jamais elle ne porterait son fils dans ses bras. C'était la dernière fois, alors elle se mit à parler.

– Mon père Électryon était roi de Mycènes et son frère Ptéléras et ses neuf fils se mirent brusquement à réclamer ce royaume. Mon père refusa. Alors ils s'emparèrent de ses bœufs après avoir tué tous mes frères. Mon père Électryon en devint fou de chagrin. Il voulait que mes frères soient vengés. Moi, j'étais follement amoureuse d'Amphitryon. Mais mon père affirma qu'il ne consentirait à mon mariage que lorsque Amphitryon aurait ramené les bœufs. Je me rangeai à sa décision et ils partirent ensemble, le cœur animé d'une juste vengeance. Mais alors qu'Amphitryon s'apprêtait à récupérer les bœufs, une dispute éclata car une des bêtes venait de s'échapper.

– Amphitryon lança contre elle la massue qu'il tenait à la main ; la massue rebondit contre les cornes de la vache, alla frapper mon père à la tête et le tua. Il était impossible qu'il revienne à Mycènes, il nous fallait trouver un roi qui accepte de le laver de la souillure de son crime. Voilà comment nous arrivâmes à Thèbes dont il repartit aussitôt quand je lui demandai de venger mes frères comme mon père l'avait exigé avant que notre mariage ne soit consommé.

Alcmène avait achevé son récit et sa voix se brisa avant qu'elle n'ait prononcé les derniers mots.

Héraclès murmura :

– Et après ?

Il avait l'intuition que sa mère lui cachait l'essentiel. Mais Alcmène se raidit :

– J'en ai déjà trop dit, il te faut maintenant obéir à ton père et rejoindre les bergers sur le mont Cithéron.

Héraclès obéit. Il y avait dans son regard une lueur qui inquiéta sa mère. Il dit :

– Un jour, je serai le roi de Mycènes. C'est là qu'est ma patrie, je saurai à la force de mes bras la rendre à mon père.

Alcmène posa sa main délicate sur le bras de son fils.

– Ton destin, Héraclès, est bien plus grand que toi.

Et sur ces mots énigmatiques, elle embrassa le front de son fils et disparut pour lui cacher ses larmes.

2
L'exil
et le retour à Thèbes

Plusieurs années s'écoulèrent. Des jours et des nuits, des semaines et des mois durant lesquels Héraclès tenta de dompter son impatience. Il s'efforçait désormais de toujours utiliser sa force à bon escient, surveillant constamment ses gestes, veillant à ne plus se laisser aller à des accès de colère incontrôlée.

Si bien que, sans qu'il le sache, isolé qu'il était du reste du monde, sa force prodigieuse fut peu à peu connue dans la Grèce entière, sa renommée allant jusqu'aux confins de monde. L'eût-il appris qu'il n'en aurait tiré aucune gloire car seul lui importait le jour du retour, celui qui le verrait proposer à son père de reconquérir Mycènes. Aux voyageurs qui s'arrêtaient sur le mont Cithéron, il demandait souvent des nouvelles de cette cité qu'il n'avait jamais vue et qu'il lui semblait pourtant connaître. On lui faisait invariablement la même réponse : Mycènes était gouvernée par un roi sans valeur, un tout petit bonhomme aussi maigre que sournois, Eurysthée, le cousin d'Héraclès, né quelques heures avant lui. Et cette description le remplissait de joie. Il suffirait de rien pour le faire tomber de son trône, juste un souffle d'air. Il voyait déjà le gringalet courir en hurlant avec les mains sur sa tête, comme un couard, et lui demander grâce.

Le jour de ses dix-huit ans approchait.

Un matin, il se décida à redescendre sur Thèbes. Il prit alors congé des bergers avec lesquels il avait passé ces quatre dernières années, et se mit en route le cœur bondissant pour rejoindre sa famille qui lui avait tant manqué.

En chemin, il rencontra des messagers du roi Erginos, cinq hommes richement vêtus et l'air hautain, qui le regardèrent avec mépris, le prenant pour un vulgaire berger.

– Où allez-vous et d'où venez-vous, seigneurs ? demanda poliment Héraclès, feignant d'ignorer le sourire méprisant qui fendait leurs visages.

– Et d'où sors-tu, toi qui ignores que nous venons comme chaque année réclamer ce que Thèbes nous doit et nous devra encore pendant de longues années ? Le tribut[1] de cent bœufs qu'Erginos notre

---

1. Tribut : ce qu'un État paye à un autre en signe de soumission.

roi réclame à juste titre après avoir vaincu votre cité il y a maintenant quinze ans.

– Cent bœufs par an ! grogna Héraclès.

Les cinq hommes s'esclaffèrent :

– Tu viens de Thèbes, berger, et tu ne sais pas ça ! Nous, les Myniens, avons gagné la guerre contre Créon et si tu savais avec quelle facilité nous vous avons battus !

Héraclès fit mine de passer son chemin mais les messagers avaient manifestement envie de s'amuser. Que pouvait un homme seul qui allait nu-pieds contre cinq hommes armés ?

Ils eurent alors la mauvaise idée de se mettre en travers de la route.

– Écoute un peu berger, nous avons tant de choses à nous dire... Écoute l'histoire de la défaite de Thèbes !

Mais l'imprudent n'eut pas le loisir de poursuivre son récit. Héraclès se jeta sur eux. Et en moins de temps qu'il ne faut pour le dire, il s'empara d'une épée, leur coupa à chacun le nez, les oreilles et les mains qu'il leur attacha avec des cordes autour du cou. Les messagers hurlaient de douleur et d'humiliation.

– Allez dire à votre roi qu'il n'aura pas son tribut ni cette année ni jamais ! rugit Héraclès hors de lui.

Et sans plus attendre, il reprit son chemin.

La rumeur de son exploit arriva à Thèbes avant qu'il n'ait franchi les portes de la cité. Chemin faisant, il s'était imaginé quelle fierté son père aurait de son combat. Il était parvenu tout seul à libérer Thèbes d'un tribut exorbitant ! Et qu'en dirait Créon ? Il le remercierait... Déjà il voyait le peuple thébain l'acclamer, le remercier et se jeter à ses pieds.

Mais c'est un tout autre accueil qui l'attendait.

L'acte inconsidéré d'Héraclès sonnait en effet comme une déclaration de guerre. Demain, après-demain, l'armée d'Erginos serait en route pour Thèbes ; elle chercherait à laver l'affront que venait de lui faire le fils d'Amphitryon !

– Ils sont plus forts en nombre, et nous n'avons plus d'armes depuis qu'Erginos s'en est emparé. Ils vont nous massacrer ! Ce n'est pas cent mais mille bœufs que nous devrons leur donner à l'avenir !

Héraclès se trouvait face à son père qui s'adressait à lui sur le même ton que cinq ans auparavant, quand il venait de tuer Linos par accident. Toujours la même colère, les mêmes yeux courroucés, la même rougeur aux joues...

– Père... écoutez-moi, dit-il d'une voix tremblante.

Amphitryon s'apprêtait à reprendre la parole quand Créon, qui se trouvait à ses côtés dans la grande salle du palais, lui ordonna d'un geste de laisser Héraclès s'exprimer.

Tous les conseillers présents tournèrent leurs visages étonnés vers ce jeune homme immense, aux proportions parfaites, dont la renommée s'étendait déjà si loin. Il y avait dans son allure quelque chose d'inattendu, hors du commun. Les années passées dans les montagnes, loin des hommes civilisés, avaient laissé apparaître chez lui une sauvagerie dans ses gestes et sa voix qui l'éloignait encore de l'apparence du commun des mortels.

Héraclès sentait tous ces regards posés sur lui qui lui brûlaient la peau et piquaient son orgueil.

– Le tribut que réclame Erginos est profondément injuste. Il doit cesser bientôt mais Erginos continuera de le réclamer à Thèbes car il sait que son armée est plus forte que la vôtre. Laissez-moi poursuivre ce que j'ai commencé ! Je veux conduire cette armée et libérer Thèbes de cette dette injuste.

Créon sembla hésiter un instant mais avait-il le choix ? Il se tourna vers Amphitryon qui, d'un haussement d'épaules hésitant, lui donna son accord.

– Soit ! Mais à la condition que je prenne les armes à tes côtés... Qui sait quel crime inconséquent tu es encore capable de commettre si tu te retrouves seul face à l'armée redoutable d'Erginos ?

Héraclès sursauta. Comment dire à cet homme

déjà vieux et qu'il respectait tant qu'il n'avait plus l'âge ni la force pour mener une telle guerre ?

Il se contenta de répondre :

– C'est avec joie, mon père, que je serai à vos côtés.

C'est ainsi que, quelques jours plus tard, une armée étrange de Thébains munis de bâtons et de simples couteaux avança à la rencontre des milliers d'hommes armés menés par Erginos.

La bataille ne dura pas longtemps. Héraclès vint à bout à lui seul du gros de la force ennemie. Partout, ce n'étaient que poussière et cris de douleur, les hommes tombaient les uns après les autres avant d'avoir pu voir d'où venaient les coups de leur ennemi.

Mais soudain Héraclès chercha des yeux son père. Où était-il ? Pourquoi n'était-il pas resté à ses côtés ? Enfin, il l'aperçut : le vieil homme luttait vaillamment contre Erginos lui-même. Dans un cri de rage, Héraclès accourut. Trop tard, son père gisait à terre, grièvement blessé.

Après avoir coupé en deux d'un simple coup d'épée le meurtrier de son père, Héraclès se jeta à genoux, espérant encore pouvoir sauver Amphitryon, mais déjà un voile avait couvert son regard.

– Héraclès... tu es promis à un destin hors du commun... Va consulter le devin Tirésias, il est temps que tu apprennes la vérité ! dit-il dans un dernier souffle.

Héraclès, écrasé de chagrin, pleurait à chaudes larmes. Son père était mort, et mort par sa faute ! Jamais Amphitryon ne reverrait Mycènes ! Comment vivre sans tenir les promesses qu'on s'est faites à soi-même ?

Mais une main lourde et large s'était posée sur son épaule. Il se retourna. C'était Tirésias, le devin.

3

Les révélations de Tirésias, le devin

– Il est temps, Héraclès, que tu connaisses le secret de tes origines puisque telles ont été les dernières volontés de ton père.

– Quel secret ? Que...

– Écoute... et ne m'interromps pas ! ordonna le devin.

Et il commença son récit.

« Ton destin est de tuer toutes les bêtes ignorantes de la justice et tous les hommes que l'arrogance mène hors du droit chemin. Tu vivras de grandes peines mais tu obtiendras une exquise quiétude auprès de Zeus, ton père, dans l'Olympe éternelle.

Écoute ton histoire, celle de tes origines...

Alcmène, ta mère et fille d'Électryon, surpassait tout le genre féminin par sa beauté et sa prestance. Pour l'esprit, elle n'avait pas de rivale. Elle vénérait

Amphitryon. Mais il fut interdit à celui-ci de monter dans le lit de la jeune fille aux belles chevilles avant d'avoir vengé les frères d'Alcmène. Alors il partit au combat. Sa bien-aimée lui promit de l'attendre. Son cœur pur lui était voué à jamais, elle l'aimait.

Mais Zeus le tout-puissant, pourfendeur des nuages, tomba amoureux de la trop belle Alcmène. Il connaissait sa vertu qui n'avait d'égale que sa beauté. Il rêvait de la posséder et rien ne peut résister au désir d'un dieu. Alors, pour la séduire, il prit l'apparence d'Amphitryon lui-même ! Il apparut un soir dans tout l'éclat de sa victoire, pareil à une pluie d'or au milieu d'une nuit noire, se glissa dans la couche de la très pure Alcmène après avoir ordonné au Soleil d'arrêter sa course pendant trois jours et trois nuits. Au matin, quand elle ouvrit les yeux, il était reparti.

Mais dès la nuit suivante, son époux Amphitryon était de retour à Thèbes. En le voyant apparaître dans sa chambre, elle lui sourit, heureuse de le revoir si vite, lui demandant où donc il avait disparu. Elle l'avait cherché toute la journée, dit-elle en toute bonne foi. Amphitryon ne comprenait rien aux propos incohérents de sa femme, mais poussé par le désir qu'il avait d'elle, il feignit d'oublier les mots qu'elle prononçait. Une fois qu'ils se furent adonnés aux plaisirs de l'amour, Amphitryon raconta comment il avait réussi à venger tous ses frères. Mais la belle Alcmène connaissait l'issue des combats si bien qu'elle finissait ses phrases et même complétait ses propos de détails qu'il avait omis de raconter. Il demanda comment elle avait su ce qu'il était seul à pouvoir raconter. Amusée, elle évoqua leur première nuit d'amour...

Le regard d'Amphitryon se troubla, il devint rouge de colère, Alcmène mentait, Alcmène l'avait trahi, déshonoré, elle avait souillé leur amour et la promesse qu'elle lui avait faite !

Fou de rage, il l'attrapa par les cheveux et la traîna jusque sur la place publique, donnant l'ordre de la faire brûler vive à l'instant. Alcmène, à genoux, le supplia de l'entendre mais il n'écoutait rien, la regardant avec dégoût, l'injuriant, s'enivrant de ses propres cris pour ne pas écouter la sincérité qui perçait dans la voix de sa femme tant aimée.

Le feu brûlait déjà, les flammes léchaient les pieds de la vertueuse Alcmène, quand un orage éclata soudain dans le ciel d'azur, une pluie providentielle venant contre toute attente empêcher l'injuste sentence. C'était Zeus lui-même qui envoyait un signe. »

Tirésias s'arrêta, son regard d'aveugle perdu dans des souvenirs que les mots rendaient à nouveau si présents. Héraclès l'écoutait avec un mélange d'effroi et d'attention soutenue. Impatient, il l'invita à poursuivre. Tirésias reprit :

« Zeus me dicta ces paroles : "Alcmène dit la vérité, elle ne mérite en rien le sort que tu voulais lui infliger. Tu dois lui pardonner. De cette longue nuit naîtra un enfant, mon fils, qui à lui tout seul aura un destin rempli de plus d'aventures que tous les héros réunis qui l'ont précédé. Tu veilleras, Amphitryon, à lui donner la meilleure éducation qu'il puisse recevoir !"

Amphitryon obéit. Tu as eu les meilleurs maîtres que la Grèce ait connus. Castor t'a enseigné l'art de la guerre, Harpalycos la lutte, Eurytos le tir à l'arc et c'est Amphitryon lui-même qui t'apprit à conduire un char car il excellait dans cet art. Mais tu montrais bien peu d'intérêt pour les choses de l'esprit. »

Héraclès baissa la tête, accablé par la honte. Le remords l'écrasait : pourquoi n'avait-il pu tout simplement obéir à son père ?

Mais Tirésias poursuivait son récit :

« Au même moment sur le mont Olympe, l'épouse de Zeus, Héra, la terrible déesse, fulminait de rage. Encore une infidélité de son époux ! Tant d'enfants déjà étaient le fruit de ces amours éphémères avec des mortelles et du désir insatiable de son mari tout-puissant ! Combien de fois lui avait-il juré, pour apaiser sa rage, qu'il ne le ferait plus, et qu'elle était la seule, la plus belle, son éternel amour ? Le pire, c'est qu'elle finissait par le croire, il avait l'air tellement sincère ! Alors cette fois, elle jura de se venger !

Le jour de ta naissance approchait et Zeus s'en glorifiait à voix haute, disant à tous les autres dieux :

– Écoutez-moi tous, dieux et déesses ; je veux dire ici ce que me dicte mon cœur ! Un enfant va venir au monde et cet enfant est destiné à régner sur tous ceux qui l'entourent ! Il appartient à la race des mortels sortis de mon sang, il est de la lignée de Persée, ce héros qui trancha la tête de la Gorgone, mettant un terme à sa terreur.

La majestueuse Héra aux desseins perfides rétorqua :

– Il te faut joindre l'acte à la parole, allons, dieu de l'Olympe, jure-moi sur l'heure par un puissant serment qu'il régnera bien sur tous ses voisins, l'enfant qui le premier tombera aux pieds d'une femme, s'il est des mortels qui appartiennent à la race sortie de ton sang.

Elle dit. Et Zeus ne vit pas la perfidie. Il jura par le plus grand des serments et commit la plus grande des erreurs.

Héra, d'un bond, quitta la cime de l'Olympe. Bien vite, elle gagna Argos où elle savait que se trouvait la fière épouse de Sthénélos, descendant elle aussi de Persée. Mais si Alcmène était sur le point d'accoucher, Niccipe, elle, n'était enceinte que de sept mois. Il fallait coûte que coûte qu'elle accouche avant l'autre, se dit Héra, déterminée.

Alors elle convoqua sa fille Ilithye, la déesse des Accouchements, et lui donna ses ordres.

Mais déjà ta naissance s'annonçait, Héraclès, et ta mère souffrait beaucoup. Elle n'en était qu'au début, la pauvre, et longtemps son corps s'est glacé au souvenir de cette longue torture qu'Héra lui avait infligée. Pendant sept nuits et autant de jours, elle a vécu un supplice sans nom, épuisée par les douleurs, hurlant, bras tendus vers le ciel. La déesse des Accouchements, prenant l'apparence d'une servante en l'entendant gémir, s'était assise à l'entrée, posant son genou droit sur son genou gauche et, tenant ses doigts joints comme les dents d'un peigne.

Ainsi était-elle sûre de retarder la délivrance. Elle prononçait aussi des formules à voix basse, et ses incantations entravaient le travail commencé. Alcmène souhaitait mourir et ses plaintes auraient pu ébranler la dureté des rocs.

Une de ses servantes était près d'elle. Elle avait compris que se machinait là une injustice d'Héra. Entrant et sortant sans arrêt, elle vit la déesse assise devant la porte, tenant sur ses genoux ses bras joints et ses doigts serrés.

Elle lui dit: "Qui que tu sois, félicite ma maîtresse, Alcmène d'Argos est délivrée, elle est mère !"

La déesse maîtresse des accouchements sursauta et, dans son effroi, dénoua ses mains jointes ; aussitôt ses liens relâchés, Alcmène fut délivrée ! Elle mit deux enfants au monde, Iphiclès et Héraclès : l'un était le fils d'Amphitryon, l'autre était le fils de Zeus.

La servante rit de la déconvenue de la divinité. Mais la déesse, furieuse, attrapa l'impertinente par les cheveux, la traîna sur le sol, et, comme sa victime voulait se relever, elle l'en empêcha et la transforma en belette.

Hélas, la ruse de la servante n'avait servi à rien. Niccipe avait accouché prématurément d'un fils nommé Eurysthée, quelques jours avant ta naissance !

C'est Héra elle-même qui annonça la nouvelle à Zeus, fils de Cronos :

– Zeus à la foudre blanche, je veux faire entendre un mot à ton cœur. Un noble mortel vient de naître qui régnera sur tous les Argiens : c'est Eurysthée, le fils de Sthénélos le Perséide. Il est de ta race... Souviens-toi de ton serment !

Elle dit. Et Zeus fut frappé d'une douleur aiguë au plus profond de son cœur.

Alors, le cœur plein de courroux, il saisit Atè, sa propre fille par sa tête aux tresses luisantes et il jura par un puissant serment que plus jamais elle ne rentrerait ni dans l'Olympe ni dans le ciel étoilé, cette Erreur qui égare tous les esprits. Cela dit, il la jeta du haut du ciel étoilé, d'où elle eut vite fait de tomber au milieu des champs des mortels.

Cependant, sur terre, Alcmène ne cessait de pleurer. Avait-elle surpris dans le regard d'Amphitryon une rancune à son égard quand il découvrit « ses » deux fils ? Craignait-elle d'être poursuivie sans fin par la colère d'Héra dont elle avait sans doute deviné l'intervention pendant son accouchement interminable ? Nul ne le sait, elle s'est toujours refusée à en parler. Mais la nuit après ta naissance, elle se releva en cachette, elle te portait dans ses bras et c'est à l'insu de tous qu'elle te déposa dans la rue comme pour te rendre à ton destin, espérant que Zeus pourvoirait à ton éducation.

Mais Athéna veillait. Elle est fille de Zeus et de Métis, déesse de la Raison, de la Prudence et de la Sagesse, et elle a su et saura toujours aider les héros valeureux. Elle se débrouilla pour passer en compagnie d'Héra près de l'enfant qui criait, affamé. Athéna se précipita vers lui, s'étonnant de l'extraordinaire vigueur de ce nouveau-né. Elle persuada Héra de le porter à son sein. Peut-être espérait-elle voir naître de ce contact un accord spontané... Mais l'enfant attira à lui le sein avec une force bien supérieure à celle de son âge. Héra eut si mal qu'elle laissa tomber le bébé. Des flots de lait continuèrent cependant à jaillir de son sein. Ils inondaient le ciel. C'est de cette nuit où tu tétas le sein d'Héra qu'est née la Voie lactée.

Athéna te ramena à ta mère et lui ordonna de t'élever. Alcmène tendit ses bras vers toi : non seulement elle se soumettait au désir des dieux mais elle était comblée, déjà elle regrettait son geste et la peur qu'elle avait éprouvée.

Dans les mois qui suivirent ta naissance, Amphitryon ne connut pas de repos. Il passait des jours et des nuits assis au pied du berceau de ses fils, les sourcils froncés et la bouche tordue par une question qu'il n'osait formuler à voix haute et qui pourtant le rongeait : lequel de ces deux nourrissons était son fils à lui ? Lequel le fils de Zeus ? Il avait honte de ce sentiment qui lui rongeait le cœur, une jalousie atroce qui lui brûlait l'âme et qu'il ne pouvait effacer.

Comment aimer le fils d'un autre, fût-il le fils du dieu des dieux ? Comment oublier que cet enfant avait été porté par sa propre femme adorée ? Il n'y parvenait pas, voulait savoir, espérant de toutes ses forces que la fin de l'ignorance apaiserait le feu que provoquaient ses doutes.

Une nuit, vous aviez neuf mois à peine, ton frère et toi, il glissa dans votre chambre deux serpents gigantesques. Longtemps, on raconta que c'était l'œuvre d'Héra elle-même. Peut-être avait-elle suggéré à ton père cette épreuve dangereuse, peut-être espérait-elle que le serpent t'étoufferait. Amphitryon, caché dans un recoin de la chambre, attendait, apeuré par sa propre audace, terrorisé à l'idée de savoir. Quand les serpents se glissèrent dans ton berceau, vous dormiez à poings fermés d'un sommeil innocent. Lentement, silencieusement, ils rampèrent jusqu'à vous, s'installèrent contre toi en s'enroulant autour de ton corps de bébé. Déjà, tu bleuissais, manquant d'air, sans défense. Soudain tu te redressas et, saisissant de chaque main la tête des deux reptiles, tu les broyas comme s'il s'était agi de simples jouets d'enfant. À côté de toi, réveillé en sursaut, Iphiclès hurlait. Tu jetas les serpents morts loin de vous, enjamba ton berceau pour rejoindre celui de ton frère et t'allonger tout contre lui dans un geste apaisant.

À l'autre bout de la chambre, Amphitryon pleurait. Désormais il savait et se sentait capable de respecter la volonté des dieux. Tu avais sauvé ton propre frère quand il avait mis vos vies en danger. Jamais il ne se le pardonna. Mais il avait compris la seule chose qui compta désormais à ses yeux : il vous aimait tous deux, il était votre père et il mettrait toutes ses forces à vous éduquer. »

Ainsi s'achevait le récit du devin Tirésias. Le soleil se couchait sur la plaine d'Argos, et Héraclès contemplait sans un mot le ciel flamboyant. Lui aussi, désormais, il savait. C'est de Zeus que lui venait

cette force dont il était si fier mais qui lui avait déjà causé tant de torts. Quel était son destin ? Qu'allait-il devenir ? Tant de questions affluaient qu'il n'osait poser au devin, de peur d'entendre la terrible vérité.

Enfin, il se leva, prit congé de Tirésias et décida de regagner Thèbes où l'attendaient sa mère, son frère et son oncle Créon.

4
Héraclès face à son destin

Le soleil se lève sur Thèbes. Une douce lumière dorée vient caresser les pierres, les rues s'animent, les habitants s'affairent avec d'autant plus d'ardeur qu'ils savent que, dans quelques heures, une chaleur torride les obligera à rester calfeutrés chez eux jusqu'au soir. Depuis douze jours exactement, une canicule s'est abattue sur la ville, écrasant de son poids les hommes comme les bêtes si bien que rôde dans les rues, ce matin-là, l'idée qu'un malheur se prépare. Les Thébains ont peur de la colère des dieux.

Un homme traverse la ville à grands pas. Comme tous les jours, il vient à l'agora[1] pour écouter, conseiller, et régler des litiges qui opposent des citoyens entre eux. Cet homme, c'est Héraclès, toujours aussi gigantesque et puissant, qui pourrait inspirer une peur viscérale s'il n'y avait sur son visage ce

---

1. Agora : place publique d'une cité. L'agora est à la fois le lieu de réunion des citoyens, un lieu d'échanges et un lieu de rendez-vous.

sourire éclatant, serein, et cette voix posée, calme, qui témoigne d'un équilibre nouveau. Héraclès a mûri, il est devenu un homme et il a l'air heureux.

De retour à Thèbes, après son combat victorieux contre Erginos, il avait été reçu par Créon. Le roi, reconnaissant, lui offrit l'hospitalité qu'Héraclès accepta. Il ne savait que faire de lui-même, il n'avait nulle part où aller, il voulait vivre près des siens, ignorer les prédictions de Tirésias et, plus que tout peut-être, tisser des liens sincères avec Iphiclès, ce frère dont il avait été tenu éloigné tant d'années. Mais il suffisait que leurs regards se croisent pour que se creuse encore le fossé qu'il y avait entre eux. Car tout les opposait, chaque mot, chaque geste. Iphiclès s'était muré dans un silence hostile, plein de reproches amers malgré les efforts et les regrets exprimés par son frère. Amphitryon était mort, Iphiclès ne lui pardonnait pas, ne pardonnerait jamais, et sa rage était d'autant plus forte qu'elle était muette. Il aurait bien voulu pourtant pouvoir l'aimer un peu, mais il avait peur de lui depuis toujours et surtout, même s'il en avait honte, il était jaloux de lui, jaloux de sa force et de sa renommée, jaloux de sa beauté et même de l'amour que lui portait leur mère. Tout lui faisait de l'ombre et maintenant que son père était mort, qui lui donnerait raison ?

Iphiclès avait un fils, Iolaos, qu'il avait eu d'un mariage avec Automéduse. Cet enfant tomba immédiatement sous le charme d'Héraclès. Il ne le quittait pas d'une semelle. C'était comme si cette complicité impossible entre les deux frères pouvait enfin se vivre par l'intermédiaire Iolaos. Héraclès jouait avec ce neveu comme il aurait joué avec son frère. Très vite, ils devinrent inséparables.

Ainsi, la vie suivait son cours et Héraclès feignait de croire qu'il en serait toujours de même. Pourtant, sans qu'il le montre jamais, les paroles du devin le hantaient du soir jusqu'au matin.

Ton destin est de tuer toutes les bêtes ignorantes de la justice et tous les hommes que l'arrogance mène hors du droit chemin. Tu vivras de grandes peines…

Héraclès les chassait d'un revers de la main. Il ne voulait pas de ce destin-là, il voulait vivre et vivre heureux, tout simplement comme un homme. D'autant plus qu'il était tombé éperdument amoureux de la belle Mégara, la fille du roi Créon. Avec ses cheveux noirs comme le jais, ses yeux de biche, sa peau au teint de pêche, elle était la promesse de cet avenir auquel il s'accrochait comme on s'accroche à ses rêves.

Alors, lorsque le roi Créon la lui offrit en mariage, il accepta et jura à genoux, le cœur plein d'une joie immense, qu'il ferait tout ce qui était en son pouvoir pour la rendre heureuse. Ils s'aimaient. Ils eurent deux enfants, deux garçons pleins de vie qu'Héraclès regardait grandir avec une fierté sans mélange. Bientôt, il fut convaincu que le devin s'était trompé. Le bonheur était là, il était respecté, il n'avait plus de crises de violence qui détruisaient tout autour de lui et, grâce à son neveu Iolaos, il avait le sentiment d'être un peu plus près tous les jours de son frère jumeau.

C'est cet homme-là qui traversait la foule, ce jour de canicule à Thèbes, un homme qui commençait à croire au bonheur. Et dans son for intérieur il se disait qu'à force, un jour, il parviendrait à tenir la promesse qu'il s'était faite à lui-même : détrôner Eurysthée et récupérer Mycènes en hommage à son père, Amphitryon.

Croyait-il vraiment pouvoir échapper au destin que les dieux avaient décidé pour lui ?

Sur le mont Olympe, l'épouse de Zeus, Héra, la terrible déesse, fulminait de rage. Elle qui s'était jurée de provoquer la perte d'Héraclès, elle se voyait obligée d'assister à son bonheur, et le voilà maintenant qui projetait de conquérir Mycènes !

Non, décidément, elle ne pouvait continuer d'être ainsi la risée de l'Olympe. Elle réfléchit longuement... Il fallait que Zeus lui-même concoure au malheur d'Héraclès.

Elle n'eut de cesse dès lors de piquer son orgueil, se moquant sans vergogne de ce fils dont il y avait si peu lieu d'être fier. « Héraclès, un héros ? ricanait-elle à la moindre occasion. Un homme qui a peur de son ombre et de sa propre force ! Dont le rêve le plus fou est d'être ce bon père de famille, ce bon mari, tout doux, tout mièvre, une mauviette ! Et qui feint d'oublier lequel est son vrai père ! Quel héros, vraiment ! Et toi, Zeus, le dieu des dieux, tu laisses faire... C'est ainsi, crois-tu, que tu feras de lui un héros... ? »

Ses flèches empoisonnées eurent bientôt fait d'exaspérer le maître de l'Olympe. Sa femme avait raison, son fils n'était qu'un bon à rien, un homme comme un autre. Pas la moindre trace en lui d'un héros grec dont il pourrait être fier !

– Il lui faut des épreuves dignes de ses origines car qu'il le veuille ou non, il est le fils de Zeus, et le monde entier doit en avoir la preuve. Et puisqu'il rêve de conquérir Mycènes, pourquoi ne pas l'aider ?

Zeus décide d'envoyer son fils devant Eurysthée qui le mettra au défi de réaliser douze travaux insensés, de mener douze combats monstrueux qu'il lui faudra gagner. Ainsi sa gloire traversera la Grèce.

– Héra, qu'en penses-tu ?

Héra sourit, elle acquiesce, satisfaite.

Alors Zeus ordonna à Hermès, le messager des dieux, d'avertir Eurysthée et de lui donner l'ordre d'inviter son cousin Héraclès.

Eurysthée, dans son palais de Mycènes, attendait jour après jour la venue de son terrible cousin. Il savait depuis toujours – on lui en avait fait le récit – que ce dernier convoitait son trône. Il connaissait son histoire, sa force, son exil et, d'instinct, sentait qu'il ne ferait pas le poids. Depuis toujours, Eurysthée était faible, malade, avait peur de son ombre. Peut-être, dans le fond, aurait-il préféré ne jamais être roi.

Un matin, alors qu'il dormait encore, il sentit le sol vibrer sous son lit. Et aussitôt il se mit à trembler. Où trouver la force d'affronter Héraclès ? Il se cacha sous ses couvertures, fermant les yeux, comme si tout cela n'était qu'un mauvais rêve. Où allait-il trouver la force d'affronter ce géant qui, depuis sa naissance, n'avait qu'un objectif : prendre sa place ?

Ce fut sa mère qui le tira de son lit, le poussant contre son gré sur le trône devant lequel étaient rassemblés ses hôtes qui l'attendaient : Héraclès, son frère Iphiclès et son jeune neveu Iolaos.

Il leur souhaita la bienvenue d'une voix qui tremblait autant que ses mains et son corps en entier. De toutes ses forces, il évitait de croiser ce regard qu'il sentait pointé sur lui, narquois, ironique, dévorant comme du feu. Comment calmer cette colère qui brûlait en face de lui, irradiant jusqu'à lui ses feux destructeurs ?

Ce fut Héraclès qui finit par rompre ce silence pesant :

— Alors cousin, ne m'as-tu fait venir jusqu'ici que pour te taire ?

Sa voix puissante envahit la salle du palais, elle résonnait encore quand Eurysthée répondit :

— Zeus t'ordonne de m'obéir, cousin. Il te charge d'accomplir les douze travaux que je t'ordonnerai de faire. Après quoi, tu pourras t'asseoir sur ce trône.

Et il se tut, effrayé qu'il était par ce message qu'il avait été obligé de transmettre. Héraclès fronça les sourcils, hésita un instant et puis éclata d'un rire spectaculaire.

— Et tu crois qu'il suffit de m'ordonner à moi de faire ce qui te chante ? Mais pour avoir ton trône, Eurysthée, il me suffit de te souffler dessus. Comme une vulgaire petite plume, tu t'envoleras et tu disparaîtras. Ta ruse est décidément trop minable. La vérité, c'est que je te fais peur et tu as raison : un jour, je serai assis à ta place sur ce trône, parce qu'il me revient de droit. Je suis le fils d'Amphitryon, et c'est là qu'est ma place. Un jour, une armée sous mes ordres mettra la tienne à genoux. Je sais qui je dois combattre et pourquoi. Je n'ai pas besoin de ces épreuves que tu inventes pour te terrasser. Adieu !

Et il tourna les talons sous les yeux effarés d'Eurysthée.

Sur le chemin du retour, Iphiclès sermonna son frère :

— Mais as-tu seulement entendu ce que te disait Eurysthée ? C'est un ordre de Zeus et tu ne peux t'y soustraire ! Ta passion t'aveugle et tu cours à ta perte. Comment oses-tu, après tout le mal que tu as déjà fait ?

Héraclès feignait de ne rien écouter. Les paroles de son frère le mettaient au supplice. Il ne le croyait pas, ne voulait pas le croire, il sentait malgré lui monter cette colère qu'il avait cru apaisée par les années passées. Pour un peu, il aurait pu, pour le faire taire, porter la main sur lui, le réduire à néant, mais Iolaos veillait. Il murmura doucement :

— Héraclès, pourquoi ne pas consulter la Pythie ? Elle seule pourra t'éclairer, bien plus en tous les cas que cette colère qui t'aveugle... et aussi ton orgueil ! Rappelle-toi où tout ça t'a mené.

— La Pythie ?

La voix du géant s'était troublée. Iolaos avait raison, il suffirait de faire un détour par Delphes pour consulter l'oracle[1]. Les paroles du devin Tirésias lui revinrent en mémoire. Il devait en avoir le cœur net, arrêter de fuir. L'heure était venue, s'avoua-t-il pour lui-même, d'affronter son destin. Peut-être que là était le vrai courage.

---

1. Oracle : les Grecs vont consulter les oracles, des sortes de devins, pour poser une question à un dieu, la plupart du temps pour connaître le sort que leur réserve l'avenir. Le dieu s'exprime alors à travers l'oracle qui interprète les signes.

Au pied du mont Parnasse, à Delphes, une femme choisie parmi les vierges du temple rendait régulièrement ses oracles à qui venait lui poser des questions. Assise sur son trépied, sans âge à force d'être vieille, décharnée, grimaçante, elle regarda s'approcher le fils de Zeus. Puis elle entra en transe, sans attendre même qu'il lui pose la moindre question, et c'est comme si la terre elle-même s'était ouverte pour laisser passer ce flot de paroles violent, brutal, incontestable :

— Je t'ordonne de te mettre au service d'Eurysthée et d'accomplir une à une les épreuves qui seront les tiennes. Car tel est ton destin, celui que j'ai décidé pour toi.

Stupéfait, Héraclès tomba à genoux. Tête basse, il écoutait les paroles qui tombaient sur ses épaules comme un vêtement trop lourd. Il ne dit mot, posa simplement ses deux mains sur sa propre tête. Il resta là longtemps, sans bouger. Le jour suivant, pourtant, il reprit le chemin de Thèbes.

Revenu dans cette maison où il avait cru le bonheur possible, il s'enferma des jours entiers dans sa chambre, refusant de voir qui que ce soit. Chaque soir, il rejoignait sa bien-aimée et leurs deux enfants qu'il chérissait plus que lui-même. Mégara lui souriait, se blottissant dans ses bras, inquiète, n'osant poser des questions, bien loin d'imaginer cependant la tempête intérieure qui agitait l'homme qu'elle avait épousé.

Car, malgré l'ordre impérieux donné par le maître de l'Olympe, Héraclès ne pouvait se résoudre à obéir. Comment accepter de devenir l'esclave de cet homme frêle, sot et incroyablement peureux qu'était son cousin Eurysthée ? Lui, Héraclès, se mettre au service de ce froussard stupide ? Jamais ! hurlait-il, tout seul, enfermé dans sa chambre. Et pourtant, il le savait bien, il était impossible de s'opposer de quelque manière que ce soit à une décision de Zeus. Et quand il se laissait aller à rêver de lui désobéir, d'instinct, il se recroquevillait sur lui-même, en proie à une peur profonde devant ce désir insensé, innommable et destructeur. Il se révoltait, saisi par une colère farouche, et puis se soumettait avant de se redresser brusquement, prêt à défier n'importe qui, fût-il le dieu des dieux.

Du haut de l'Olympe, Héra l'observait. Elle suivait comme une ombre le fil de ses pensées, jouissant de le voir hésitant, si faible, doutant avec tant de force, résistant tant et plus alors que le combat était perdu d'avance. Elle attendait avec impatience de le voir céder, à genoux devant Eurysthée, alors qu'il le sommerait d'accomplir les épreuves épouvantables qu'elle lui aurait suggérées et dont la réussite serait si difficile, peut-être même impossible. Mais les jours passaient et Héraclès était toujours enfermé dans sa chambre, incapable de se résoudre à obéir aux ordres de son père.

– Comme ose-t-il ? rugissait-elle, de plus en plus impatiente.

Elle assistait à la lutte d'Héraclès avec lui-même, elle voyait chaque jour sa colère prendre le pas sur sa raison. Car il était de plus en plus furieux, de plus en plus rageur, perdant peu à peu le contrôle de lui-même. Peut-être aurait-il fini au terme de cette lutte, par accepter de son plein gré le destin que son père avait décidé pour lui. Mais Héra, assoiffée de vengeance, en décida autrement. Elle eut soudain une idée terrible qui la réjouit fortement.

Car plus la souffrance d'Héraclès serait grande, plus elle croyait apaiser cette offense que Zeus lui avait faite en la trompant une fois de trop. Elle éclata d'un rire sonore et convoqua Iris et Lyssa, ses fidèles servantes, qu'elle chargea d'accomplir ses noirs desseins.

Peu de temps après, celles-ci s'envolèrent vers Thèbes, revêtues d'un voile léger. Le soir descendait, le ciel grondait, l'atmosphère était lourde, annonciatrice d'orage. Déjà, une grosse pluie tombait mais le soleil brûlant semblait hésiter à disparaître derrière l'horizon. Le voile d'Iris se colora et prit les couleurs de l'arc-en-ciel.

Héraclès était assis dans un coin reculé de la chambre de ses enfants aux côtés de Mégara. Le plus grand s'écria soudain :

– Mon père, venez voir, il y a un arc-en-ciel !

En entendant la voix émerveillée de son fils, Héraclès se leva, ému par l'innocence du plaisir de l'enfant. Cette voix le ramenait à lui-même, c'était comme un baume apaisant sur les doutes qui terrassaient son âme depuis des semaines. Il s'approcha de la fenêtre et admira l'arc-en-ciel, tenant tendrement son fils dans ses bras. Un coup de vent violent le fit frissonner et tout en lui soudain se glaça. Il recula d'un pas, ferma la fenêtre et, lâchant son fils, il retourna s'asseoir dans le coin de la chambre, en proie de nouveau à de sombres pensées.

Sans se laisser voir, Iris et Lyssa étaient entrées dans la maison. Elles s'approchèrent d'Héraclès...

Il se lève brusquement, son visage a changé, ses fils stupéfaits le regardent en silence et Mégara murmure :

– Héraclès, que se passe-t-il ?

Mais le héros ne la regarde pas, ses yeux devenus rouges roulent dans leurs orbites et une écume blanche coule sur sa barbe touffue. Il crie des propos incohérents, hurle qu'il tuera Eurysthée, oui, il a la force, le pouvoir, et personne ne pourra se mettre au travers de son chemin.

Alors il se met à marcher, prétend avoir un char qu'il n'a pas, fait le geste de monter sur le siège et tend le bras comme pour fouetter son cheval.

Mégara, effrayée, touche sa main puissante et lui dit :

– Mon bien-aimé, où es-tu ? Que se passe-t-il ? Eurysthée n'est pas là, c'est moi, Mégara, ta femme.

Héraclès la repousse violemment, elle crie, tombe à la renverse, se relève et court protéger ses enfants qui se sont mis à pleurer. Leurs cris semblent mettre leur père au supplice. Alors, il saisit son carquois, en sort plusieurs flèches et touche à mort le plus petit, depuis toujours son préféré. Mégara hurle de toutes ses forces mais ses cris ne font qu'accroître la rage de son époux en proie à la folie. Car personne ne les voit, mais elles sont là, sur son épaule, Iris et Lyssa, qui se sont emparées de sa raison et guident chacun de ses gestes. Sur le mont Olympe, Héra jubile.

Alors, Héraclès se saisit d'une massue et frappe son autre fils et sa femme qui s'écroulent. Leur sang se répand sur le sol tandis qu'Héraclès, furieux, cherche des yeux d'autres victimes à abattre. Déjà, il s'élance pour poursuivre ses crimes quand Athéna, la déesse de la Sagesse, fille de Zeus, apparaît. Elle jette une pierre contre sa poitrine, arrêtant le carnage, et le plonge dans le sommeil. Il tombe sur le sol, baignant dans le sang de ses propres enfants.

Lorsqu'il ouvrit les yeux, le jour était à nouveau levé. Iolaos son neveu était assis à ses côtés, en larmes. Interloqué, Héraclès s'écria :

– Qu'as-tu, cher neveu, pourquoi ces larmes et ce regard plein de méfiance ? Et pourquoi ce silence ? Tu m'effraies ! Parle !

Mais Iolaos ne pouvait lui répondre. Les mots ne voulaient pas sortir de sa bouche. Héraclès ne se souvenait de rien ? Alors comment lui dire ?

Iphiclès, qui était resté en retrait, approcha. Il raconta d'une voix atone ce qui avait eu lieu. Lorsqu'il apprit ce qu'il avait fait, Héraclès plongea dans une nuit sans fin, une souffrance terrible. Il répétait sans cesse qu'il ne voulait plus vivre. Comment pouvait-il accepter d'avoir commis ce geste impardonnable ?

D'autant qu'il avait beau fouiller dans sa mémoire, il ne se souvenait de rien, devant se contenter du récit qu'on lui en avait fait.

Il cherchait de toutes ses forces à comprendre et ne comprenait pas. Pourquoi ? Ce geste n'avait pas de sens et n'en aurait jamais. Mais la douleur qu'il éprouvait sans cesse, virulente et féroce, ne le quittait pas, elle exigeait des réponses. Et personne ne pourrait plus l'aider, il le savait.

Il comprit alors la nécessité dans laquelle il était d'expier ses crimes. La folie qui s'était emparée de lui sonnait comme une punition divine. Il avait douté de la force d'un ordre qui provenait de Zeus en personne.

C'est ainsi qu'il se décida à repartir pour Mycènes. Iolaos demanda à partir avec lui. Héraclès refusa.

Plus jamais, affirma-t-il, il ne voulait côtoyer d'autres hommes. Il fallait l'oublier, il n'était pas digne d'être aimé.

Iolaos obéit. Il regarda son oncle s'éloigner de la ville, seul et désespéré. «Un jour, se promit-il, je le rejoindrai.»

Deuxième partie

Le temps des épreuves

5
Le lion de Némée

Héraclès marcha jour et nuit, ne dormant que quelques heures quand son corps épuisé refusait d'avancer. « Puisque tel est mon destin », se disait-il à chaque pas, tentant de chasser la douleur qui le suivait comme une bête affamée qui réclamait son dû. Il allait vite pourtant et les hommes qui croisaient son chemin s'écartaient, effrayés par ce géant au regard noir et furieux qui traçait sa route avec tant de vigueur.

Héraclès ne les voyait même pas. Il fonçait vers sa première épreuve, impatient de déployer cette force qu'il n'avait jamais réussi à maîtriser. « Et peut-être un jour... », se disait-il sans oser aller plus loin dans ses pensées.

Arrivé à Mycènes, il se jeta aux pieds du souverain Eurysthée qui l'attendait, sans lever les yeux vers lui, ignorant cette brûlure qu'il éprouvait à se tenir ainsi, dans cette position soumise, devant cet homme chétif et ridicule.

Eurysthée donna d'une voix tremblante l'ordre que lui avait soufflé Héra :

– Il y a dans les montagnes visibles au loin, depuis la citadelle d'Argos, un lion qui dévore les troupeaux de mes bergers. Tue-le et ne reviens ici que si tu es parvenu à le dépecer !

– Je reviendrai, affirma Héraclès sans faillir.

Et il reprit la route vers Argos.

« Un lion ? se dit-il rassuré, je serai de retour dès ce soir ! »

Ce qu'il ne savait pas encore, c'est que le lion était un monstre, frère du Sphinx de Thèbes, né sur la Lune où les bêtes sont quinze fois plus grandes que sur Terre. Or la Lune, dans un terrible frisson et sur l'initiative d'Héra, l'avait fait tomber sur le mont Apésas. Elle voulait qu'il ravage la région et qu'Héraclès l'affronte. Sa peau ne pouvait être entamée par aucun tranchant, qu'il fut de pierre ou de fer. Héraclès l'ignorait, Héra se préparait au spectacle qu'elle avait tant appelé de ses vœux.

Tandis qu'il allait sur les chemins, mains et tête nues, sans autre arme que sa force qui lui avait joué tant de tours depuis sa naissance, certains dieux de l'Olympe, les enfants de Zeus, ses frères et sœurs qu'il ne connaissait pas, décidèrent de lui apporter leur aide. Peut-être Zeus avait-il parlé en sa faveur...

Posées au travers du chemin, elles manquèrent de le faire tomber. Des armes magnifiques, ciselées et incrustées de pierres précieuses, au milieu d'un chemin de terre ? Il s'arrêta net, stupéfait, se retourna sur lui-même, cherchant des yeux les hommes à qui elles devaient appartenir. Il y avait là une épée, un arc et des flèches et une cuirasse d'or. Il les observa longuement et, sans se l'expliquer, comprit qu'elles étaient pour lui, s'en empara et poursuivit sa route.

Sur l'Olympe, Hermès, Apollon et Athéna souriaient d'un air satisfait.

En trois heures, il atteignit la forêt où sévissait le monstre depuis plusieurs années, dévastant récoltes et troupeaux. Sur son chemin, il avait croisé des bergers auprès desquels il avait cherché à obtenir des informations sur la bête. À chaque fois, tandis qu'ils l'écoutaient, les bergers avaient froncé les sourcils, l'exhortant à renoncer à ce combat inégal.

– Tu y laisseras ta peau, étranger ! Retourne d'où tu viens, cet animal est un fléau, une punition divine. Personne ne peut l'abattre, crois-nous, on a tout essayé !

Chaque fois, Héraclès se contentait de hausser les épaules et poursuivait sa route.

Et soudain il le vit. Et ce n'était pas tant sa taille prodigieuse, son pelage flamboyant et sa crinière de feu qui impressionnèrent le héros que ses muscles puissants et la vélocité de sa course. Héraclès siffla entre ses dents. L'animal stoppa net, se retourna, leurs regards se croisèrent. Il avait de petits yeux brillants, cruels et arrogants. Ils se toisèrent un moment, face à face, immobiles, et puis le lion frémit et s'approcha nonchalamment d'Héraclès comme pour mesurer la détermination de son adversaire – ou sa peur. Héraclès sentit sa gorge se serrer. Lentement il se saisit d'une flèche, tendit son arc vers la bête monstrueuse qui ne bougea pas, continuant à le défier du regard, avec un air tranquille qui n'augurait rien de bon. La flèche l'atteignit à l'épaule. Mais elle se contenta de rebondir sur sa peau, se brisant net, tombant sur le sol comme une petite brindille que le vent aurait apportée là. Héraclès, surpris, recula d'un pas. Le lion avançait vers lui et semblait prêt à lui sauter à la gorge. Il rugit brusquement, gueule ouverte, découvrant des crocs gigantesques et menaçants.

« Il va me mettre en morceaux », songea Héraclès, tétanisé.

Mais le lion se détourna de lui avec la même nonchalance qu'il avait mise à s'approcher. Il ne devait pas avoir faim. C'était juste un avertissement.

Héraclès passa sa première nuit dans les bois les yeux grands ouverts. Il lui était impossible de dormir, mesurant pour la première fois ce qui l'attendait réellement. Cet animal était évidemment un

monstre envoyé par Héra ! Il fut pris d'un découragement sans nom, le combat était trop inégal. « Car je ne suis qu'un homme », se répétait-il en cherchant désespérément le moyen de l'abattre.

– Il me faut le tuer à mains nues, murmura-t-il pour lui-même. À quoi me servent ces armes que j'ai trouvées au bord du chemin ?

La traque dura vingt-neuf jours.

Le lion se jouait de lui, courant des heures entières avec Héraclès à ses trousses, épuisé mais tenace. Chaque soir, au soleil couchant, le lion rugissait férocement comme pour rappeler au héros qui était le plus fort. Héraclès ne renonçait pas. Chaque jour il apprenait à connaître son adversaire. Ainsi avait-il remarqué qu'il dormait dans une grotte profonde. C'est là qu'il décida de le coincer pour éviter cette course qui n'en finissait pas. Et puisque ses flèches ne pourraient pas l'atteindre, patiemment il se construisit une massue avec le bois d'un olivier sauvage. Quand son arme fut prête, un matin à l'aube, il se glissa doucement dans l'antre du monstre qui dormait encore profondément. Héraclès avait cru pouvoir le surprendre dans son sommeil, il n'avait pas pensé que son odeur suffirait à signaler sa présence.

Le lion rugit avant même de voir son adversaire. Terrifié, Héraclès se retrouva coincé contre la pierre de la grotte, la gueule du lion ouverte tout près de son visage. Serrant sa massue de toutes ses forces, il frappa un grand coup, si fort que le lion tituba un instant, pas assez pour qu'il s'effondre mais suffisamment pour permettre à Héraclès de se glisser derrière lui. Alors il sauta sur la bête pour la plaquer au sol. Le lion, furieux, se débattait avec une force incroyable, tentant de mordre vainement son adversaire qui s'était mis à serrer sa gorge à la force de ses bras. La lutte dura de longues minutes.

Dans un dernier effort, le lion sauta sur Héraclès pour le jeter au sol. De la pointe du pied, le héros se redressa, il n'avait pas lâché prise, écoutant le râle de la bête devenir de plus en plus faible, serrant de plus en plus fort. Ses muscles douloureux semblaient éclater sous sa peau et, alors qu'il sentait ses forces défaillir, la bête brusquement s'écroula.

Le lion de Némée était mort. Héraclès, épuisé, s'endormit profondément. Il ne se réveilla que quelques heures plus tard et fut envahi par un sentiment d'intense découragement. Car il n'en avait pas fini. Comment rapporter cette peau que rien ne pouvait trancher à son cousin Eurysthée? Il essaya pourtant, d'abord avec son épée, puis avec les flèches de son arc. Mais ce fut peine perdue. Allait-il échouer dès sa première épreuve? Qu'allait-il advenir de lui si rien ne pouvait jamais le racheter de ses crimes? Il fut submergé par la honte. Il lui fallait trouver une solution. Alors il vit les griffes de la bête qui gisait à ses pieds. Peut-être... Son intuition était juste. Seules les propres griffes du lion pouvaient lui permettre de le dépecer.

Quand il reprit le chemin de Mycènes, l'hiver approchait. Il se couvrit de la peau de la bête, sa gueule lui servant de casque. Après ces mois passés dans les bois, il avait l'air d'un sauvage plus que d'un être humain.

Lorsqu'il se présenta devant Eurysthée, celui-ci se mit à trembler de tout son corps.

– Je t'interdis désormais d'entrer dans ma ville ! cria-t-il épouvanté alors qu'Héraclès venait de déposer la peau du lion de Némée à ses pieds. Dorénavant, tu déposeras ton butin devant la porte de Mycènes, entends-tu ?

– Et maintenant ? demanda tranquillement Héraclès, que dois-je faire ?

6
L'Hydre de Lerne

Héraclès avait repris la route sans broncher après avoir reçu les ordres de son cousin Eurysthée. Il n'avait ni pâli ni cillé en entendant sa voix nasillarde et fluette prononcer le nom du monstre terrible qu'il devait maintenant affronter. Il n'était pas question de lui offrir ce plaisir-là.

Maintenant qu'il était à nouveau seul avec lui-même, Héraclès se laissa aller à un profond désespoir. L'Hydre de Lerne ! Nul n'ignorait dans toute la Grèce qu'il n'y avait de monstre plus redoutable que celui-là ! L'Hydre était une sorte de serpent à dix têtes et à l'haleine mortelle !

Personne ne s'approchait des marais où elle vivait comme un parasite. C'était Héra elle-même qui l'avait élevée sous un platane, sur une sorte de colline, près des sources d'Amymone où elle avait maintenant son repaire. Héraclès connaissait son existence depuis toujours sans qu'il sache bien comment, sans doute grâce aux histoires que lui racontait sa mère. Jamais il n'avait imaginé qu'il aurait un jour à l'affronter ni qu'Héra préparait ce combat depuis tant d'années.

Il avançait pourtant vers son destin, tête basse et la peur accrochée à chacun de ses pas.

D'abord, il ne vit pas le char qui se dirigeait vers lui. Il s'écarta sans y jeter un œil pour lui céder le passage. Mais on l'interpella :

– Héraclès !

La voix lui était familière mais elle venait de si loin, du fond de sa mémoire, comme d'une autre vie, qu'il crut avoir rêvé et ne se retourna pas. Il vivait depuis trop longtemps déjà avec la certitude qu'il était seul au monde.

Mais la voix s'obstina :

– Héraclès, c'est moi, Iolaos, tu ne me reconnais pas ?

Il sursauta. Au son de cette voix, c'est toute sa vie passée qui lui revenait d'un coup, le souvenir du bonheur enfui qu'il avait détruit. Iolaos était planté devant lui.

– Je suis venu comme je te l'avais promis. Ne dis rien, s'il te plaît, laisse-moi venir avec toi !

– Non, Iolaos, c'est impossible ! Tu sais pourquoi, alors va-t'en !

Sans plus attendre, il reprit sa route mais son neveu le suivait dans son char sans un mot.

Héraclès lança :

– Tu sais où je vais ? je dois combattre l'Hydre de Lerne ! Tu veux toujours rester ?

Iolaos avait pâli, mais c'est d'une voix ferme qu'il prononça ces mots :

– Je reste, je veux être avec toi, mon oncle, s'il te plaît.

Héraclès haussa les épaules.

– Tu es trop jeune, Iolaos, et bien trop intrépide. Fais comme tu veux mais débrouille-toi pour ne pas m'encombrer.

Iolaos hocha la tête, n'osant sourire. La vérité, c'est qu'il avait peur lui aussi désormais. Comment venir à bout d'un monstre aussi effroyable ?

Le soleil brillait de tous ses feux lorsqu'ils parvinrent aux abords du marais où la bête immonde avait son repaire. Mais la lumière ne perçait pas à travers la forêt touffue et une brume épaisse les empêchait de voir leurs propres pas. Avançant à tâtons, ils sentirent bientôt une odeur épouvantable, si âcre qu'elle leur leva le cœur. Leurs yeux piquaient, leurs bouches devinrent sèches, ils se mirent à tousser, manquant d'air, ils étouffaient.

– Mets un foulard autour de ta bouche, ordonna Héraclès.

Iolaos s'exécuta. L'air qu'ils respiraient était toujours aussi malsain mais ils cessèrent de tousser, pressant le pas, sentant qu'il faudrait faire vite s'ils voulaient rester en vie.

Ils arrivèrent enfin devant un marais aux couleurs sombres et glauques, épais comme de la boue.

Silencieux et tremblants, ils se tenaient prêts à voir surgir la bête. Tout était étrangement silencieux et glacé. Pas un seul gazouillis, pas un souffle d'air pour faire bruire les arbres, pas de crissement d'insectes non plus. Rien qui ne fût en vie. Ils sentaient l'humidité traverser leurs vêtements et frissonnèrent. Héraclès se baissa lentement, ramassa une pierre et la jeta dans l'eau. Elle fit un bruit mat et sourd et fut aussitôt engloutie par les eaux noires. À nouveau, le silence s'abattit sur eux comme une menace. Ils n'entendaient que le battement de leurs cœurs. Héraclès fit signe à Iolaos de rejoindre le char, il voulait tenir son neveu éloigné pour passer à l'attaque. Iolaos hésita un instant, puis il obéit.

Puisqu'une pierre n'avait pas suffi à faire sortir l'Hydre de ce marais puant, Héraclès décida d'en envoyer autant qu'il en faudrait, des dizaines, des centaines, et de plus en plus grosses. Bientôt une pluie de pierres s'abattit sur les eaux noires de Lerne, provoquant un raffut étonnant au milieu de ce silence de plomb.

Et soudain, la bête surgit.

Surprise dans son sommeil, elle éructait de rage, à moins que ce ne fût son état habituel mais Héraclès n'eut pas le temps d'y songer. Il avait devant lui un monstre gigantesque, dix fois plus grand que lui. Sa peau d'un gris verdâtre était celle d'un reptile. Dix longues tiges lui servaient de cous, tous agiles et souples, virevoltant à une vitesse affolante, certains dressés plus haut que la cime des arbres, d'autres rampant sur le sol, rapides et sournois comme des vipères. Chacun des cous se terminait par une tête hérissée de piquants tranchants, et des langues pointaient de chaque bouche dans laquelle on devinait des rangées de dents acérées. Héraclès recula de quelques pas, se retrouva adossé contre le tronc d'un arbre, sous le choc de cette apparition. C'était pire que le pire de tous les cauchemars qu'il ait jamais faits. La bête faisait claquer ses multiples mâchoires à la recherche de l'intrus qui avait osé s'aventurer dans son repaire. Héraclès serra son poing autour de son épée et sans trembler, de toutes ses forces, il se lança à l'assaut du monstre. Il n'avait plus le choix, il lui fallait se battre.

Comme il était adroit, son premier coup porta. Une première tête tomba, tranchée net, sur le sol, juste aux pieds du héros. Elle faisait à elle seule trois fois la taille d'un homme. Héraclès lui jeta un coup d'œil effrayé tandis qu'il entendait dans son dos le cri étouffé de son neveu Iolaos.

« Plus que huit ! » se dit-il en son for intérieur pour se donner du courage.

Quelle ne fut sa surprise quand, relevant les yeux, il vit deux têtes pousser en lieu et place de celle qu'il venait de trancher. Comme si la partie de l'Hydre qu'il venait de dompter recevait pour la peine une aide qui allait se multiplier à l'infini.

Alors il comprit pourquoi on la disait invincible ! Elle se nourrissait de son propre sang pour proliférer, s'engendrant elle-même en tirant sa force et sa vitalité des blessures qu'on lui infligeait. Comme vaincre un monstre avide des coups qu'il pouvait recevoir ? Héraclès crut sa dernière heure arrivée.

« Il doit y avoir un moyen pourtant d'empêcher ces têtes de repousser », se dit-il en continuant à se battre comme un forcené. Il avait déjà tranché trois têtes et six avaient repoussé. Le combat était de plus en plus inégal, Héraclès sentait ses forces s'affaiblir. Il eut soudain l'idée d'utiliser le feu pour éloigner cette bête qui vivait au fond de l'eau. Il cria :

— Iolaos, allume un feu, vite !

Iolaos s'exécuta et, bientôt, il apportait à son oncle des flambeaux. Héraclès s'en saisit et les brandit devant les têtes du monstre. L'Hydre, surprise, se mit à cracher une salive jaunâtre sans parvenir pourtant à éteindre les flammes.

— Je ne me suis pas trompé, murmura Héraclès, elle déteste le feu.

D'une main, il trancha deux têtes et, dans un même élan, de l'autre, il brûla la blessure, maintenant de toutes ses forces la flamme sur la plaie qui s'était mise à grésiller et à sentir horriblement mauvais. L'Hydre salivait de plus belle, crachant tout ce qu'elle pouvait, un son terrible s'échappant de toutes ses têtes atroces mais Héraclès tint bon jusqu'à ce que le feu s'éteigne. Quand il enleva le brandon, il constata qu'enfin plus rien ne poussait à la place.

La satisfaction d'avoir trouvé la faille de son adversaire redoubla ses forces. Il fit signe à Iolaos de brûler chaque cou dès qu'il aurait coupé une tête. À deux, organisés et rapides comme ils l'étaient, ils se révélèrent redoutablement efficaces. Il ne resta bientôt plus que trois têtes ! De temps à autre, ils se jetaient tous deux des coups d'œil satisfaits pour s'encourager et ne pas relâcher leurs efforts.

Mais Héra qui suivait depuis l'Olympe, chaque phase du combat avec une attention extrême ne voyait pas d'un bon œil l'Hydre perdre ses têtes une à une. Elle fit tomber aux pieds de notre héros un immense crabe qui lui pinça aussitôt le talon.

Héraclès hurla sous l'effet de la douleur. Il laissa tomber son épée. Son pied saignait abondamment et le crabe ne lâchait pas prise.

L'Hydre, voyant son adversaire affaibli, en profita aussitôt pour s'enrouler autour de ses hanches, espérant l'étouffer progressivement. Iolaos tétanisé vit le regard de son oncle vaciller, il sentit qu'il était près de s'évanouir sous l'effet d'une douleur aiguë.

« S'il perd connaissance, c'en est fini de lui », pensa-t-il, horrifié.

Voyant l'épée à terre, il lui lança sa massue. Héraclès s'en saisit et, dans un accès de douleur et de rage mêlées, il frappa le crabe de toutes ses forces, si fort qu'il l'écrasa en une seule fois ! La carapace se brisa en un craquement épouvantable et le crabe explosa en mille éclats aux quatre coins des bois.

Furieux, Héraclès poursuivait son combat. Il ne lui resta bientôt plus qu'une seule tête, la dernière. Plusieurs fois, il tenta de lui porter un coup fatal mais la bête y échappait chaque fois. L'épée sifflait dans le vide : Héraclès, porté par son élan, tournait sur lui-même. Il sentait son cœur se crisper d'angoisse. Si près du but, allait-il échouer ? Comment mettre fin à la vie d'un monstre réputé immortel ? Il était la proie d'un obscur pressentiment : même morte, l'Hydre allait continuer à le poursuivre comme un mauvais rêve ou une malédiction. Il avait peur, oui, infiniment, et la vue de la dernière tête tranchée gisant à ses pieds ne fit pas disparaître l'angoisse. Il la regardait agonisante et eut cette étrange pensée, c'était presque un pressentiment : l'Hydre était irrémédiablement une part de lui-même. La tête inerte qu'Héraclès croyait morte se mit à se tortiller sur elle-même. Le héros crut l'entendre glousser comme en écho à ses pensées intimes. Pris d'une rage attisée par la peur, il saisit la tête à mains nues et la jeta dans un trou qu'il obstrua à l'aide d'un énorme rocher.

— Tu peux rire, sale bête, tu vas vivre dans ce trou pour l'éternité ! Personne ne viendra te chercher là ! Te voilà condamnée pour toujours...

Et, soulagé soudain d'avoir remporté la victoire, il éclata d'un rire féroce qui résonna longtemps au-delà des marais lugubres sur lesquels le monstre avait régné.

Mais Iolaos le pressa de partir. Le rire de son oncle lui glaçait le sang. Héraclès ne l'écoutait pas, il errait au milieu des têtes tranchées, tout entier à sa rage et à cette peur qui ne le quittait pas. Et soudain, il s'empara de son carquois et trempa une à une les flèches dans le sang de la bête.

– Que fais-tu, mon oncle ? murmura Iolaos épouvanté.

– Elles seront empoisonnées à jamais ! s'exclama Héraclès. Ce seront des armes redoutables !

Iolaos frémit.

– Viens, mon oncle, je t'en supplie, il est temps de rentrer.

Héraclès acheva cependant de préparer ses flèches pour les autres combats qu'il aurait à mener. « Encore dix ! » se dit-il, effaré.

Ils se mirent enfin en route, marchèrent plusieurs jours pour rejoindre Mycènes. Eurysthée ne les attendait pas, persuadé qu'Héraclès était mort.

Quand on lui annonça sa présence aux portes de la ville, il fut incapable de croire le messager. Ce n'est que sur l'insistance de ses conseillers qui, tour à tour, étaient allés vérifier qu'Héraclès était bel et bien là, qu'Eurysthée se résolut à apparaître.

Quand il vit son cousin, Héraclès s'écria :

– Holà, cousin, j'ai cru que tu ne viendrais pas !

Iolaos ne put s'empêcher de rire à son tour.

Eurysthée se vexa.

– On me dit que tu as tué l'Hydre, soit ! Mais ce travail ne comptera pas car tu as bénéficié de l'aide de ton neveu. Ainsi, je l'annule.

– Que dis-tu, cousin ? Comment oses-tu, espèce de froussard ! Réfléchis bien avant d'annuler cette épreuve car ce sont mes propres mains alors dont tu risques de sentir la force autour de ton cou maigrelet, tu entends ?

– Oui, bafouilla Eurysthée dans un souffle. En fait, je... pl... plaisantais... Mais dorénavant, quand même, tu... tu devras être seul... Quant à ta prochaine épreuve...

7

Le sanglier d'Érymanthe

Devant lui, au loin, Héraclès pouvait déjà apercevoir le mont Érymanthe et ses sommets enneigés. « Encore quelques jours de marche et j'y serai, se dit-il avec satisfaction. Il va juste falloir que je trouve de quoi me protéger du froid », ajouta-t-il à haute voix en regardant avec perplexité ses pieds nus enfermés dans des sandales poussiéreuses que les longues heures de marche avaient usées jusqu'à la corde. Il ne sursauta pas en entendant le son de sa propre voix briser le silence autour de lui. Depuis son départ de Mycènes, il lui arrivait parfois de faire comme si Iolaos était encore là. Son jeune neveu lui manquait, Eurysthée avait vu juste : il n'y a pas de pire épreuve que celle de la solitude. À force de dormir toujours dehors, souvent à même le sol, et de vivre en parlant à son ombre, il avait parfois le sentiment de ne plus faire partie de la société des humains.

La nuit s'apprêtait à tomber. Héraclès ne quittait pas la montagne des yeux. C'est donc là-haut que sévissait ce sanglier monstrueux qu'il lui fallait ramener vivant ! Il haussa les épaules. Après son combat contre l'Hydre de Lerne, cette épreuve lui semblait dérisoire. Il serait de retour à Mycènes avant la fin de l'hiver, il en était certain.

Cette nuit-là, il ne put trouver le sommeil. « Je suis tout près de mon ami Pholos, se répétait-il sans cesse. Je vais aller lui rendre visite. Et peut-être pourrais-je aussi croiser Chiron ! Tant pis si je prends du retard. Après tout, personne ne m'attend plus nulle part. »

Il n'y avait aucune raison en effet de ne pas se rendre chez son ami. Mais il se sentait si seul, poursuivi par une malédiction si grande qu'il craignait, sans oser se l'avouer, d'être rejeté par son ami de toujours.

Pholos et Chiron n'étaient pas des Centaures comme les autres. Ils avaient pourtant la même apparence. Mi-hommes mi-chevaux, avec deux bras et quatre pattes, les Centaures étaient des monstres vivant dans les forêts qui se nourrissaient de chair crue et avaient des mœurs brutales. Seuls Pholos et Chiron étaient hospitaliers, bienfaisants. Ils aimaient les hommes et ne recouraient jamais à la violence. C'est grâce à son père Amphitryon qu'Héraclès avait fait leur connaissance, alors qu'il n'était encore qu'un enfant. Son père lui avait appris à ne pas les juger sur leur inquiétante apparence.

Pholos accueillit son vieil ami à bras ouverts, lui réservant une fête digne des exploits dont la Grèce entière faisait l'éloge. Héraclès l'écoutait avec surprise et humilité. Il se sentait si peu à la hauteur des récits qu'on faisait de lui. Il n'en dit rien, décidé à profiter de ce moment si doux. Pholos prépara un repas magnifique, prenant soin de faire cuire la viande que lui-même mangeait crue. Héraclès se régalait, il y avait bien longtemps qu'il ne s'était assis à une table !

Mais soudain, il eut soif et demanda du vin. Pholos n'en avait pas, hormis celui qui était dans une jarre mais qui appartenait à toute la communauté des Centaures. Héraclès haussa les épaules. Les autres Centaures ne lui en voudraient pas, il en était certain, alors pourquoi s'en priver ? Le vin était là, sous ses yeux, comment y résister ? Pholos hésitait, mais devant l'insistance de son hôte, il finit par ouvrir la jarre, non sans avoir la main qui tremblait.

Une odeur puissante s'échappa de la jarre, si forte qu'elle attira les Centaures. Furieux, ils galopèrent tous ensemble vers la caverne de Pholos, armés de rochers et de sapins, poussant des hurlements terribles. Héraclès bondit sur ses deux jambes, non sans avoir jeté un regard plein de regrets vers son ami Pholos. « Si j'avais su », pensa-t-il, sans avoir le temps de le dire à son hôte qui recula, effrayé vers le fond de la caverne.

Mais déjà Héraclès était devant la grotte, brandissant des torches enflammées pour faire reculer les sauvages assaillants. Il arma son carquois et tira autant de flèches qu'il fallut pour les abattre. Un à un, les Centaures tombaient, s'effondrant dans des suffocations terribles. Effrayés, les survivants finirent par s'enfuir, mais Héraclès, tout à sa fureur, se mit à les poursuivre. Il n'avait qu'une chose en tête, les détruire et gagner le combat. Plus rien d'autre ne comptait à ses yeux, il ne pensait à rien, la mort à ses côtés, sans mesurer où ce combat allait le mener. Tous les Centaures se dirigeaient vers Chiron, le plus sage d'entre eux et le plus bienveillant. Serrés contre lui, tremblants, ils virent arriver Héraclès, fulminant de rage.

Quand il aperçut Chiron, Héraclès vacilla. Il ne lui voulait pas de mal. Chiron s'apprêtait à parler quand Héraclès lança une flèche destinée à un autre Centaure. Elle lui transperça le bras et, poursuivant sa course, alla se nicher dans le genou de Chiron. Ce dernier s'écroula. Héraclès se jeta à ses pieds, tentant par tous les moyens de panser sa blessure, mais il était trop tard. Chiron souffrait atrocement, sa blessure était mortelle mais il ne mourait pas. D'un geste, il demanda à Héraclès d'approcher et lui murmura à l'oreille :

— Je suis né immortel, je ne peux pas mourir, je ne peux que souffrir sans répit pour toute l'éternité !

Héraclès recula, effrayé, démuni. Comment aider Chiron ? Mais il était trop tard ! Il se mordait le poing, torturé par un remords bien inutile.

Soudain, à l'entrée de la grotte apparut un géant à l'air revêche. Le visage sillonné par des rides profondes, les sourcils en bataille, les cheveux hirsutes, il aurait pu faire peur s'il n'avait dans le regard une lueur d'une bienveillance infinie.

Sans un geste pour Héraclès, il s'approcha de Chiron qui sourit faiblement.

– Prométhée ! Que fais-tu là ?

– C'est Zeus qui m'envoie...

Héraclès n'en croyait pas ses yeux. Prométhée était le cousin de Zeus et son ennemi juré. Pourquoi était-il là ?

– J'ai obtenu du maître de l'Olympe d'accepter ton immortalité.

– Comment as-tu fait ?

– Je lui ai révélé que l'enfant qu'il aurait de Thétis serait plus puissant que lui-même et le détrônerait.

Chiron sourit et serra la main de Prométhée. Puis ses yeux se fermèrent doucement et la mort s'empara de lui, mettant fin à ses souffrances. Prométhée, lui, était devenu immortel.

Il se redressa et, gardant les yeux à terre pour éviter sciemment de croiser le regard d'Héraclès, il sortit de la grotte et disparut.

Héraclès baissa la tête, envahi par une honte

sans nom. Encore une fois, il s'était laissé aller à sa colère et à son goût du combat sans réfléchir à la portée de ses actes. Et pourtant Zeus lui avait en quelque sorte envoyé de l'aide. Pourquoi ? Il éprouvait un désarroi profond. Les paroles de Tirésias lui revinrent en mémoire...

Ton destin est de tuer toutes les bêtes ignorantes de la justice et tous les hommes que l'arrogance mène hors du droit chemin. Tu vivras de grandes peines mais tu obtiendras une exquise quiétude auprès de Zeus, ton père, dans l'Olympe éternelle.

« Mais pourquoi dois-je aussi commettre de telles erreurs ? gémit-il. Suis-je un héros ou une simple brute ? Pourquoi est-ce que je fais du mal autour de moi ? Pourquoi ? »

Il s'était mis à hurler seul dans la montagne, espérant un signe du dieu des dieux. Mais le ciel resta sourd à sa demande.

Alors Héraclès se leva, prit Chiron sur son dos pour le porter jusqu'à la grotte de Pholos et lui offrir des funérailles dignes du respect qu'il lui portait.

Là-bas, un autre désastre l'attendait.

Au moment où Héraclès avait couru après les Centaures qui tentaient d'échapper à sa rage meurtrière, Pholos s'était approché de ses amis qui gisaient devant sa porte. « Comment, se disait-il, comment est-ce possible ? Un tel carnage en quelques secondes ? Ce sont pourtant de valeureux combattants ! » Alors il se saisit d'une flèche qui n'avait fait qu'une simple égratignure sur la peau d'un Centaure. Comment un si petit objet pouvait-il faire de tels dégâts ? Et il laissa la flèche tomber sur son pied, se blessant mortellement. Car toutes les flèches avaient été trempées dans le sang de l'Hydre de Lerne !

Cependant, Héraclès arrivait sur les lieux. Quand il aperçut le corps de Pholos gisant parmi les autres Centaures, son désespoir ne connut pas de limites. Il s'effondra sur le sol, se roula dans la poussière, ne pouvant supporter l'idée d'être la cause même indirecte de la mort de Pholos. Les flèches empoisonnées étaient destinées à ses ennemis. Comment avaient-elles pu finir dans les corps de Pholos et Chiron ?

De quoi voulait-on le punir sans cesse ? Il repensa alors au pressentiment qu'il avait eu avant de tuer l'Hydre. « Je n'en avais pas fini avec ce monstre, le mal, c'est moi, c'est elle, pensa-t-il, et c'est par elle que mon malheur arrive. L'Hydre et, derrière elle, Héra ! »

Alors, il s'empressa de brûler toutes ses flèches, une à une. S'il le fallait, il lutterait à mains nues mais plus jamais, décida-t-il pour lui-même, je ne veux faire quoi que ce soit sous l'emprise d'une force plus grande que la mienne.

Et comme pour ne pas oublier sa promesse, il garda une seule flèche en souvenir du pacte qu'il venait de passer avec lui-même.

Après avoir offert des funérailles magnifiques aux deux Centaures, il reprit la route d'Érymanthe. Parvenu sur les hauteurs glacées de la montagne, le héros chercha en vain la bête monstrueuse. Elle devait s'être protégée du froid dans un recoin de la forêt. Héraclès se mit à pousser des hululements de loup. Puis il lança des pierres, fit rouler des éboulis, frappa de son bâton les buissons autour de lui. Il cherchait à faire sortir le sanglier de sa tanière pour le contraindre à fuir. Puisqu'il ne pouvait le tuer, il fallait le chasser, l'obliger à courir et à courir encore jusqu'à ce qu'il s'épuisât.

Le sanglier apparut bientôt, aussi puissant et répugnant que sa réputation le disait. La tâche promettait d'être rude. Mais l'animal n'était pas bien malin. Il avançait difficilement, ses sabots s'enfonçant dans la neige, grommelant, ahanant sous l'effort, mais si robuste qu'il semblait ne jamais devoir se fatiguer. Le froid saisissant mordait la peau d'Héraclès, il n'avait pas pris le temps ou la précaution de trouver de quoi se protéger de la neige glacée. Il lui fallait faire vite. Il poussa à nouveau des hululements sauvages et le sanglier accéléra sa course. Soudain, il disparut, poussant des cris aigus. Il venait de tomber dans un immense trou que la neige dissimulait. Héraclès s'approcha, saisit la corde qu'il avait à sa ceinture et sauta dans le trou pour le ligoter. D'un geste, il le jeta sur son dos et entreprit de redescendre à Mycènes.

L'étrange convoi qu'il formait était parvenu aux oreilles d'Eurysthée bien avant qu'Héraclès n'arrive aux portes de la ville. Partout, on admirait le héros, sa force et la détermination qui marquait chacun de ses gestes. Personne ne pouvait deviner le chagrin qui lui rongeait le cœur.

À chaque nouvelle épreuve réussie, la peur d'Eurysthée allait en s'accroissant. Combien de temps encore son cousin allait-il accepter de lui obéir ? Ne céderait-il pas un jour à l'une de ses célèbres colères pour le réduire en bouillie ? La simple perspective d'être à nouveau en sa présence suffisait à le faire trembler et l'empêchait de dormir et de manger pendant des jours et des nuits. Alors il jugea sage de se présenter devant le héros... caché dans une jarre de fer. C'est ainsi désormais qu'il lui donnerait ses ordres.

Héraclès commença par se moquer de lui.

– Holà, cousin, je n'entends pas ce que tu cherches à me dire.

Une voix incertaine que la jarre renvoyait en écho répondit :

– Tu as le sanglier ?

– Sors de ta cachette et regarde ! Ou tu veux que je vienne te rejoindre ?

Cette fois, c'est la jarre en entier qui se mit à vaciller.

Héraclès, qui ne connaissait pas la peur et qui haïssait son cousin, fut soudain pris d'une sorte de compassion qui le surprit lui-même. Il pensa à ses amis Pholos et Chiron et à leur bienveillance. Qu'au moins ses crimes impardonnables lui servent de leçon ! Il prononça alors ces paroles ailées :

– Eurysthée, cousin, tu n'as rien à craindre de moi, je t'en fais ici la promesse solennelle. Je ne tenterai rien contre toi. Je dois expier mes crimes et me purifier de tout le mal que j'ai commis. Donne-moi tes ordres et je t'obéirai.

Un long silence suivit ces mots sincères. Et soudain Eurysthée, incrédule, sortit le bout de son nez.

– Je te crois, dit-il d'une voix qui exprimait le contraire. En attendant, va accomplir ta prochaine épreuve. Ramène-moi la biche aux cornes d'or. Va !

Il murmura si bas qu'Héraclès n'entendit rien :

– Et que les dieux te viennent en aide, cousin !

8

La biche aux cornes d'or
Les oiseaux du lac Stymphale
Les écuries d'Augias

« Comment ose-t-il, ce nabot ridicule, exiger de moi que je nettoie les écuries d'Augias ? Je ne le ferai pas, non, je me refuse à me plier aux caprices de ce crétin immature ! »

Héraclès ne décolérait pas. Il tapait avec son épée dans la moindre broussaille, soulevant la poussière et hurlant des insultes, faisant fuir hommes et bêtes qui se trouvaient sur son chemin. Mais où donc étaient passées ses bonnes résolutions d'antan ? Se souvenait-il seulement les avoir faites le jour où il avait ramené le sanglier vivant ?

Il faut dire que le temps avait passé.

Il avait mis plus d'un an à ramener la biche aux cornes d'or et aux sabots d'airain. Elle se déplaçait avec une telle rapidité qu'il avait eu bien de la peine à la suivre. Rien à voir avec le lourdaud sanglier !

Durant des mois entiers, il avait parcouru des plaines, escaladé des montagnes, traversé des vallées, franchi des océans.

La bête était craintive, gracile et singulièrement rusée. Et malgré tous ses efforts, jamais il ne parvenait à être aussi léger et subtil qu'il l'aurait fallu. Il avait appris quasi contre lui-même les vertus de la patience. Et pour la première fois, il avait su attendre.

Au bout d'un an, il surprit la biche en plein sommeil. Elle était si belle, si fragile... Il la prit délicatement par les pattes tandis qu'elle lui jetait des regards effrayés. Mais soudain, une voix outrée s'éleva dans son dos :

— Comment oses-tu, étranger, toucher à la biche sacrée ?

Surpris, Héraclès se retourna. Il découvrit une femme si magnifique que pas un instant il ne douta qu'il avait devant lui une déesse, et la plus farouche qui soit : sans nul doute Artémis qui ne se plaît qu'à la chasse. Il tomba à genoux à ses pieds.

— Je t'en supplie, Artémis, comprends-moi ! C'est un ordre d'Eurysthée mon cousin. Je ne puis m'y soustraire, je dois expier mes crimes.

— Te voilà donc, le fameux Héraclès...

Ses fines lèvres entrouvertes laissaient apparaître des dents merveilleuses, elle souriait, moqueuse, mais semblait s'être adoucie.

— Je les connais tes crimes, et je sais ce que tu

endures. La jalousie d'Héra est sans limites, et le chemin qui te reste à parcourir est encore si long.

Héraclès ne savait plus que dire. Sans oser se l'avouer, il était profondément ému. Si ce qu'on lui avait dit était vrai, il se trouvait en présence de l'une de ses sœurs. Il aurait tant voulu lui poser des questions mais Artémis coupa court :

— Amène la biche à Eurysthée et, dès qu'il l'aura vue, relâche-la dans les bois, ici même !

Sur ces mots, elle disparut.

Héraclès obéit avec un plaisir sans mélange. Quelque chose en lui semblait avoir changé. Il en avait la certitude. Il saurait désormais quoi faire de sa violence, se répétait-il sans cesse comme pour mieux s'en convaincre.

Il gardait un souvenir presque joyeux de la cinquième épreuve. Il s'agissait de chasser les oiseaux du lac Stymphale. Il avait fait la preuve qu'il n'était pas juste une brute pleine de force et de rage. Il avait fallu montrer qu'il était aussi habile et intelligent. Une foule innombrable d'oiseaux pullulaient au-dessus du lac, détruisant les fruits de la campagne environnante. Il était impossible, en raison de leur nombre impressionnant, de dominer ces oiseaux par la force. L'affaire nécessita donc une certaine habileté. Il commença par les observer longuement, caché derrière l'épais feuillage qui tapissait le sol de la forêt autour de lui. Il remarqua un jour que le grondement de tonnerre semblait semer la panique parmi eux. « Mais comment faire assez de bruit pour effrayer tous ces oiseaux ensemble ? » se demanda-t-il, perplexe.

Il fit plusieurs tentatives, avec ses armes, qui se révélèrent toutes infructueuses. À peine réussissait-il à voir s'envoler une dizaine d'oiseaux, vaguement apeurés.

Il allait céder au découragement quand il entendit une voix au creux de son oreille :

– Derrière cette haie, tu trouveras des castagnettes de bronze construites pour toi par Héphaïstos, le dieu du Feu.

– Mais...

– Je suis Athéna, déesse de la Sagesse, j'ai décidé de te venir en aide. Il faut bien parfois contrer les projets d'Héra la jalouse !

Héraclès tournait la tête en tous sens mais c'était peine perdue. Athéna avait déjà disparu sans qu'il ait eu le temps de la voir et encore moins de la remercier. Encore une fois, un dieu lui venait en aide. Peut-être, son père, du haut de l'Olympe, se souciait-il de son sort ? Son cœur meurtri se gonfla d'espoir et c'est plein de courage et d'enthousiasme qu'il se saisit des castagnettes pour faire un vacarme épouvantable.

– Même sur l'Olympe, s'exclama-t-il, ils doivent se boucher les oreilles !

Les oiseaux s'envolèrent, il sortit son carquois et

tira autant de fois qu'il le fallut. Puis il nettoya le lac et revint à Mycènes, content et apaisé.

Mais voilà qu'en rentrant, il aperçut son frère Iphiclès, aux côtés d'Eurysthée.

– Je suis content de te voir, affirma Iphiclès en se jetant dans ses bras.

Mais sa voix sonnait faux et son regard disait bien autre chose. Il portait des vêtements luxueux, ses mains étaient soignées, mais son teint restait pâle, il avait l'air toujours aussi fragile. Il avait toisé son frère, ce héros dont la Grèce entière racontait les exploits, avec une jalousie que ses belles manières ne parvenaient pas à cacher. Héraclès venait de passer des années dans les bois, sur les routes.

À côté de son frère, il avait l'air d'un sauvage. Il regarda ses mains, elles étaient tellement sales ! Il les cacha derrière son dos, un peu honteux malgré tout. Quant à Eurysthée, il jubilait. Toute trace de peur avait disparu de ses traits. Il avait trouvé en Iphiclès un complice qui lui donnait l'illusion d'être enfin plus fort.

Héraclès soupira, pressé soudain de quitter Mycènes et ces gens qui lui semblaient de parfaits étrangers.

– Quelle est ma prochaine épreuve, cousin ?

– Nettoyer les écuries du roi Augias... en un seul jour !

Quelle humiliation ! Et quel sourire narquois barrait le visage de son frère ! Lui confier, à lui, une tâche que même les esclaves jugeraient offensante ! Tout le monde en Grèce connaissait Augias pour sa saleté. Trente ans que les écuries n'avaient pas été nettoyées ! Et ce fumier qui aurait dû servir à enrichir la terre pourrissait, empestant les environs, vouant le pays à la stérilité. Héraclès avait beau faire, il ne parvenait pas à s'imaginer transportant sur ses épaules des paquets de fumier à l'odeur pestilentielle. Les gens allaient se moquer de lui d'autant plus que rendre cet endroit propre en une seule journée, c'était tout bonnement un défi impossible à relever !

Résigné, Héraclès traversa l'Arcadie. Bien avant d'arriver, ses narines vinrent lui confirmer ses pires pressentiments. Même d'aussi loin, il fut sur le point de vomir. Alors il résolut de gagner une colline où l'air était moins mauvais. Parvenu tout en haut, il observa le paysage. Les écuries étaient situées au fond d'une vallée, non loin de deux fleuves, l'Alphée et le Pénée. Une idée un peu folle lui traversa l'esprit. Peut-être était-ce le début d'une solution ?

Le lendemain, dès l'aube, il se rendit au palais d'Augias. Le roi le reçut, non sans cacher sa fatigue. Il se déplaçait avec difficulté, gras comme un cochon, pas rasé, pas lavé, « aussi répugnant que ses écuries », pensa Héraclès.

– En une seule journée, s'esclaffa le roi après avoir écouté le héros. Tu as perdu la tête ! Mais le spectacle risque d'être amusant. Faites prévenir mes sujets, ajouta-t-il en se tournant vers l'un de ses conseillers. On a si peu l'occasion de s'amuser par ici !

Héraclès ravala sa colère. Il se borna à baisser la tête et sortit, piqué au vif. Il n'avait pas le choix : il devait réussir.

Il commença par creuser deux trous dans les écuries. La foule, excitée par le roi, criait n'importe quoi tout en se bouchant les narines. Héraclès s'efforçait de ne pas les entendre.

Sortant des écuries, il se mit au travail. Il voulait détourner le cours des deux fleuves en creusant des fossés. Il ne ménagea pas sa peine, creusant, déplaçant à mains nues des rochers énormes. Et soudain, il entendit une voix admirative de l'un des habitants du haut de la colline :

– Quelle force prodigieuse !

Aussitôt la foule se mit à l'applaudir.

« Les mêmes qui, il y a quelques heures, se moquaient de moi, maintenant m'applaudissent », se dit Héraclès en poursuivant son travail avec acharnement.

Bientôt, il fit la jonction avec le fleuve et les eaux s'engouffrèrent avec force dans l'ouverture. Un torrent dévala la pente, emportant tout sur son passage, s'engouffrant dans les écuries. Avec un bruit de tonnerre, les eaux s'infiltraient partout et entraînaient toutes les saletés jusqu'à la mer.

La foule laissa éclater sa joie. Les gens dévalèrent la colline pour le féliciter. Mais quand ils arrivèrent devant les écuries d'Augias, le héros était déjà reparti.

Sur la route de Mycènes, Héraclès rêvait à sa prochaine épreuve. Avant d'arriver à destination, il éprouva le besoin de plonger dans l'eau claire d'une rivière qui, même si elle était bien trop froide, le lava du sentiment de dégoût que lui avait procuré ce travail.

Troisième partie

Le temps de la gloire

9
La dernière épreuve

Cela faisait maintenant quatre jours et quatre nuits qu'Héraclès arpentait la montagne sans relâche, sans dormir ni manger. Quiconque l'aurait aperçu à cet instant précis l'aurait pris pour un fou. Les cheveux hirsutes et longs jusqu'aux reins, la barbe fournie, les yeux exorbités, sa peau de lion jetée sur les épaules, il avançait tête basse, ne s'arrêtant que pour pousser des cris déchirants qui faisaient fuir les bêtes les plus sauvages peuplant ces contrées désertées par les hommes. Il avait l'air de fuir une chose redoutable, invisible, qui ne le lâchait pas, comme accrochée à chacun de ses pas.

Huit ans et un mois avaient passé depuis le début de ses épreuves, des années qui avaient laissé apparaître quelques rides sur son front. Mais son corps, habitué aux conditions de vie les plus rigoureuses, avait encore pris de l'ampleur. Ses bras et ses cuisses musclés étaient d'une taille impressionnante. Rien ne semblait pouvoir lui résister. Et pourtant, il était là, seul au fond des bois, gémissant comme un enfant apeuré, incapable d'affronter la dernière épreuve ordonnée par son cousin Eurysthée.

Je veux que tu ramènes Cerbère, le chien à trois têtes, qui garde les Enfers!

Ces paroles résonnaient dans le crâne d'Héraclès comme une sentence de mort. «On ne revient pas des Enfers», ne cessait-il de se répéter. La vengeance d'Héra était plus sournoise qu'il ne l'avait imaginé. Elle lui avait fait subir des épreuves terribles face auxquelles il avait vaillamment lutté. Chaque année qui passait le rapprochait de la date à laquelle, enfin, il aurait réussi à expier ses crimes. Et voilà qu'au bout du chemin, elle l'envoyait à la mort! Quelle cruauté! Les poings serrés, le cœur battant, il retenait ses larmes. Il avait peur, son âme se glaçait, l'angoisse le rongeait de l'intérieur, et tout son corps se mettait à trembler dès qu'il s'imaginait descendre dans les profondeurs de la Terre. Il n'y arriverait pas. On ne revient pas des Enfers.

Il le fallait pourtant puisque tel était son destin.

Il faisait nuit. Au-dessus de sa tête, la lune était pleine et éclairait d'une lueur bleutée les bois environnants. Héraclès, adossé contre un arbre, profitait de chaque souffle de vent, du bruit des insectes sous les feuilles, du murmure d'une cascade plus loin. Alors il prit la décision, avant d'accomplir sa dernière épreuve, de revoir sa mère Alcmène et son neveu Iolaos pour les serrer une dernière fois dans ses bras.

Le temps des retrouvailles fut doux au-delà de ce qu'il avait pu imaginer. Sa mère avait vieilli mais était toujours aussi belle. Quant à Iolaos, il était devenu un jeune homme, plein de force et d'intelligence. Le retour d'Héraclès les combla de joie. Ils organisèrent en son honneur un banquet magnifique auquel toute la ville assista, lui rendant des hommages sans fin. Pour la première fois, il mesurait à quel point il était devenu célèbre dans la Grèce entière où on ne cessait de chanter ses exploits. Il incarnait toute la fierté d'un peuple, toute sa ténacité et la volonté de détruire les monstres qui détruisaient leurs vies. En entendant leurs louanges et leurs remerciements, son cœur se serrait. Mais il chassait d'un revers de la main l'angoisse qui menaçait à chaque fois de le terrasser. Personne n'en devait rien savoir. L'heure était à la fête.

Un soir, le dernier avant son départ, Alcmène et Iolaos le pressèrent de raconter ses exploits. On disait tant de choses, ils voulaient entendre la vérité de sa bouche. Il sourit et se mit à raconter.

10

Un taureau, deux juments, une ceinture, mille bœufs et quelques pommes...

Héraclès achevait le récit des écuries d'Augias. La nuit était très avancée. Il s'arrêta un temps, soucieux de ne pas lasser ses auditeurs. Mais Alcmène et Iolaos l'écoutaient, les yeux brillants.

– Continue, le pressa sa mère.

Héraclès obéit.

– La septième épreuve consistait à ramener vivant le taureau du roi Minos en Crète. Eurysthée cherchait sans doute à m'éloigner de Mycènes. Il supportait de moins en moins de me voir revenir victorieux de chacune des épreuves qu'il m'imposait. Vous savez, n'est-ce pas, quelle est l'histoire de ce Taureau ?

Alcmène et Iolaos opinèrent de concert.

– Mais moi, je ne sais pas...

Ils sursautèrent tous les trois, surpris par cette

voix fluette. Héraclès écarquilla les yeux. Une petite fille de six ou sept ans se tenait devant lui, les sourcils froncés, un peu intimidée.

– Je te présente Iopé, déclara Iolaos gêné. C'est la fille d'Iphiclès, ton frère. Il faut aller te coucher, Iopé, tu n'as rien à faire là...

Héraclès avait les larmes aux yeux. Cette enfant ressemblait à s'y méprendre à l'un de ses enfants, son petit dernier. Et cette ressemblance n'avait évidemment échappé à personne, si bien qu'on avait pris soin de la tenir éloignée d'Héraclès pour qu'il ne la voie pas. La douleur était vive mais Héraclès insista pour qu'elle reste avec eux. La présence de l'enfant lui réchauffait le cœur.

– Viens là, viens t'asseoir près du feu et ne m'interromps pas !

La petite fille obéit, les yeux écarquillés et le pouce dans la bouche.

« Un jour, le roi Minos promit de sacrifier à Poséidon, le dieu de la Mer, tout ce qui sortirait de l'Océan. C'est un taureau magnifique qui apparut alors. Minos fut si subjugué par sa beauté qu'il ne put se résoudre à le sacrifier. Il l'envoya dans ses propres troupeaux et en envoya un autre, moins précieux, à Poséidon. »

Iopé poussa un petit cri qu'elle étouffa en mettant la main devant sa bouche.

107

« Oui, tu as raison, c'était mal connaître la volonté des dieux. Poséidon se vengea deux fois. D'abord en envoyant son taureau séduire la propre femme de Minos, Pasiphaé, qui engendra un monstre, le Minotaure. Une deuxième fois, en rendant l'animal furieux pour qu'il ravage le royaume de Crète. Quand je partis là-bas, le taureau continuait de ravager l'île. En arrivant, je commençai par demander l'aide du roi qui me la refusa. Craignait-il d'accroître la colère de Poséidon ? Ou était-il encore si séduit par le taureau que malgré les ravages qu'il occasionnait sur ses terres, il ne pouvait se résoudre à ne plus le voir ? Je n'ai pas cherché à en apprendre plus. J'ai juste compris qu'une fois de plus, je devrais me débrouiller seul.

Quand je le vis pour la première fois, je fus à mon tour ébloui par la noblesse de la bête. Nos regards se croisèrent, je ne baissai pas les yeux, alors le monstre détourna la tête, pointa les cornes et gratta la poussière avec ses sabots. Je poussai un cri pour le défier, lui signifiant qu'il ne m'effrayait pas. Je voulais le forcer à attaquer en premier. Ce qu'il fit et d'un bond, il se retrouva devant moi. Esquivant de justesse les cornes qui avaient failli m'empaler, je les saisis à pleines mains. Fou de rage, le taureau se débattit. En vain, je ne lâchai pas prise. Alors commença un corps-à-corps terrible.

Plusieurs fois, je fus projeté dans les airs. Mais je m'obstinais et revenais à la charge. Je finis par le faire tomber. Aussitôt, je lançai un filet pour le maintenir prisonnier, je devais en effet le prendre vivant !

Je le ramenai en Grèce. Eurysthée, effrayé, ne sachant quoi faire de cette bête qui, folle de rage, détruisait tout sur son passage, tenta de le dédier à Héra. Mais celle-ci refusa ce présent donné au nom d'Héraclès et elle lâcha la bête qui traversa l'Argolide et qui vit, je crois, désormais en Attique. »

Iopé s'était presque endormie. D'un geste, Héraclès fit signe à Alcmène pour qu'elle la reconduise dans son lit. Il préférait qu'elle n'entende pas le huitième travail qu'Eurysthée lui avait imposé. L'épreuve était terrible et il craignait que l'enfant en soit traumatisée. Mais au moment où Alcmène s'approcha, la fillette ouvrit grand les yeux.

– Tu continues ?

– Non, Iopé, il est temps d'aller te coucher...

– Je dormirai après. Laisse-moi écouter l'histoire des juments de Diomède, s'il te plaît !

– Mais comment...

– Ma nourrice, elle me dit toujours que si je ne suis pas sage, elle va chercher les juments pour qu'elles me dévorent.

– Elle dit ça, ta nourrice ? C'est qu'elle ne sait pas qu'elles sont devenues inoffensives depuis qu'Eurysthée m'a demandé d'aller m'en occuper !

– Raconte...

Héraclès ne pouvait détacher les yeux du visage de l'enfant. Comme il aurait aimé que ses fils soient là pour l'entendre !

Il reprit son récit :

« Mon huitième travail fut donc de ramener à Mycènes les juments de Diomède de Thrace. Diomède était un homme cruel qui avait dressé quatre juments à se nourrir de la chair des étrangers qui s'aventuraient dans son royaume. Devenues indomptables, les quatre bêtes vivaient dans des écuries où on leur avait installé des mangeoires de bronze.

Mon premier souci en arrivant en Thrace fut de prendre la mesure de ce qui m'attendait. Je me glissai une nuit dans les écuries et, caché dans un coin sombre, j'observais les juments. C'étaient des bêtes magnifiques, ou plutôt elles étaient d'une beauté terrifiante. Il sortait de leurs naseaux un souffle brûlant et leurs yeux injectés de sang roulaient dans tous les sens.

Elles semblaient affamées et les attaches qui les empêchaient de s'enfuir étaient à peine assez solides pour les retenir. Bientôt, des serviteurs entrèrent dans les écuries. Ils tenaient une dizaine d'hommes ligotés qui hurlaient de terreur et suppliaient leurs bourreaux de les prendre en pitié. Mais les serviteurs ne les entendaient pas. Ils avaient le regard vide comme s'ils portaient de simples bottes de foin.

Je n'ai pas compris d'abord ce qu'ils allaient faire de ces hommes et, avant que je puisse y penser, l'un d'entre eux servait de repas à la première jument.

Saisi d'épouvante, je vis sous mes yeux l'homme se faire dévorer, j'entendis ses os craquer, la bête bavait de plaisir ! Gourmande et mise en appétit, elle réclamait le suivant ! Sans réfléchir, je surgis de ma cachette pour empêcher le massacre. Les valets résistèrent à mes coups, ils se mirent à hurler pour qu'on vienne à leur secours. Comment aurais-je pu les empêcher de hurler ? Ils étaient sept et savaient bien se battre. J'entendis de loin les renforts arriver. Par deux fois, je me retrouvai la tête tout près des dents d'une jument que j'entendais claquer à quelques centimètres de mes oreilles de mes oreilles. Il aurait suffi d'un coup de mâchoires pour que je sois réduit en bouillie.

Soudain, Diomède lui-même apparut à l'entrée de l'écurie. De loin, il tira une flèche qui se brisa sur la peau du lion de Némée que je portais sur mes épaules. Dans le même temps, deux serviteurs me serraient la gorge. Je ne pus faire autrement que d'en faire un repas pour les bêtes qui n'en firent qu'une bouchée. Excitées par le bruit et les cris, elles poussaient des hennissements sauvages, on aurait dit des dragons. Diomède sortit alors une épée gigantesque, un méchant rictus déformait son visage. D'un bond, il fut devant moi et tenta de me trancher la gorge. Furieux, je le saisis d'une main et le jetai brutalement dans les mangeoires de bronze. Aussitôt les juments se jetèrent sur ce repas de choix. Elles en mangèrent chacune un morceau, le déchiquetant en quelques secondes à peine. Les valets tombèrent à genoux devant moi.

– Tu as vaincu notre tyran ! Depuis des décennies, il nous obligeait à accomplir un travail immonde sous peine de finir nous aussi dévorés par ces monstres.

Encore abasourdi par ce violent combat, je me tournai vers les bêtes, non sans me demander comment j'allais pouvoir voyager avec quatre juments anthropophages pour les ramener à Mycènes. Quelle ne fut ma surprise de constater alors qu'elles avaient soudain une tout autre apparence ! La sauvagerie qui les habitait semblait avoir disparu. Elles étaient d'autant plus belles qu'elles étaient devenues douces. Méfiant, je détachai la première pour tenter de la chevaucher. Non seulement elle me laissa faire mais elle m'aida même à grimper sur son dos en se baissant un peu. Elles aussi avaient été délivrées de leur tyran ! Le voyage de retour en leur compagnie fut tranquille et, quand je les amenai devant mon cousin, il fut tellement surpris qu'il douta d'abord d'avoir devant lui les bêtes sauvages dont il avait entendu parler. Il fallut que je lui raconte mon travail. Mais le récit de mes exploits le mettait en colère. À chaque épreuve, il était convaincu que je ne reviendrais pas. Avant même que je puisse achever mon histoire, étouffant de jalousie, il me donna l'ordre suivant :

– Ma fille Admète rêve d'une parure qui soit à la hauteur de sa beauté !

Je me souviens d'avoir retenu un sourire. La jeune fille était à ses côtés et elle était très laide, aussi maigrichonne et ratatinée que son père, son portrait tout craché !

– Je veux lui offrir ce dont elle rêve, poursuivit Eurysthée. Alors tu dois, cette fois, me rapporter la ceinture de la reine des Amazones.

On disait d'Hippolyte, la reine des Amazones, qu'elle était parmi les plus belles femmes de Grèce. On la disait aussi prodigieusement barbare et farouchement inaccessible. Perplexe, je quittai Mycènes, un peu inquiet de ce qui m'attendait. Je crois que j'avais tant pris l'habitude de me battre contre des monstres dans des contrées lointaines que la perspective de me retrouver entouré de femmes pour obtenir une ceinture me faisait presque plus peur que d'affronter un taureau ou des juments monstrueuses. Je n'ai jamais été très fort pour les relations humaines... »

Alcmène et Iolaos sourirent en entendant ces mots. Ils l'invitèrent à poursuivre. Iopé avait les yeux grands ouverts. Peut-être rêvait-elle déjà à cette ceinture qui semblait si précieuse.

« J'entrepris l'expédition contre les Amazones avec une troupe de compagnons dont la valeur n'était plus à prouver. On disait en effet que les Amazones étaient de terribles guerrières, bien plus sanguinaires et violentes que n'importe quelle armée d'hommes. Et c'est vrai qu'elles savaient se battre, mais ni plus ni moins que les hommes après tout, et je me suis souvent dit ensuite qu'on avait construit une légende autour d'elles tout simplement parce que nous autres, hommes, préférons les imaginer douces et incapables de faire couler le sang.

Nous fîmes donc voile vers le Pont-Euxin[1], continuâmes jusqu'à l'embouchure du fleuve Thermodon, prenant position dans les environs de la ville de Themyscira dans laquelle était située la demeure royale des Amazones. Mais une fois arrivé, je me demandai bien comment j'allais me présenter à la reine.

Or à ma grande surprise, c'est Hippolyte elle-même, moins embarrassée que moi, qui vint à ma rencontre :

– Les récits de tes exploits sont parvenus jusqu'à moi, dit-elle d'une voix chaude et douce, et c'est un honneur pour moi de t'avoir pour hôte.

Aussi désarçonné qu'ébloui par le feu de ses yeux de velours, je me sentis rougir comme un petit garçon. Je bafouillai une réponse idiote et inaudible qu'elle eut la grâce de ne pas me faire répéter. Elle portait

1. Pont-Euxin : ancien nom de la mer Noire.

une tunique magnifique que nouait la fameuse ceinture que j'étais venu chercher. Mais comment oser la lui demander ? Je me sentais tellement gauche et rustre avec ma peau de lion sur les épaules, ma barbe foisonnante et mes gestes brutaux. Je n'avais jamais eu dans ma vie à affronter tant de délicatesse !

Hippolyte ne me quittait pas des yeux, souriant de ma maladresse. Elle vint à mon secours en me demandant ce que je venais chercher dans des contrées si lointaines. Je finis par avouer que j'étais sous les ordres d'Eurysthée et que je n'avais d'autre choix que de lui rapporter la ceinture qu'elle avait à la taille, même si je n'en avais pas envie. Elle éclata de rire. Et sans rien ajouter, dénoua sous mes yeux ébahis la ceinture qu'elle me tendit sans façon.

– C'est l'épreuve la plus agréable qu'il m'ait été donné d'accomplir, marmonnai-je en m'inclinant maladroitement devant tant de grâce.

J'ignorais encore que sur l'Olympe, Héra assistait à cette scène avec une irritation grandissante. Il n'était pas question pour elle de me laisser en paix. Décidée à semer le trouble, elle prend aussitôt l'apparence d'une Amazone et, bondissant au milieu des guerrières, elle leur dit qu'Héraclès s'apprête à enlever leur reine.

Les Amazones s'emparent de leurs armes et se précipitent vers mon bateau. Elles montent à bord au moment où pour remercier la reine, je l'avais enlacée. Ses femmes croient que je suis en train d'abuser de ses charmes et lancent leur javelot sur moi. D'abord, croyant à une trahison de la reine, mon sang ne fait qu'un tour mais, vive comme l'éclair, Hippolyte s'interpose pour me protéger et c'est elle qui reçoit les flèches qui me sont destinées.

Fou de colère, je hurle de rage et je dégaine mon épée. Une rude bataille s'engage.

Il me fallut déployer toute ma volonté pour repousser hors du navire la horde des Amazones en furie. Héra pouvait être satisfaite : le combat fut violent et sans concession. Je finis par pouvoir repartir et rentrer à Mycènes. J'avais le cœur lourd et chargé de regrets. Cette femme était si belle, si douce... »

— Et la ceinture ? demanda Iopè.

— C'est ta cousine qui la porte tous les jours, lui répondit Alcmène.

— Celle-là ? s'exclama la petite fille, déçue.

Héraclès sourit.

— Oui, celle-là. Mais elle a perdu sur ta cousine tout son éclat car le plus beau des bijoux ne peut masquer la laideur de ses traits.

Iopè pouffa de rire :

— C'est vrai qu'elle n'est pas belle !

Ses yeux pétillaient de plaisir et, malgré la fatigue qui était parfois plus forte qu'elle, Iopè résistait à son envie de dormir, elle voulait tout entendre et connaître la suite.

— Maintenant, tu vas raconter les pommes d'or...

– Non, rétorqua Héraclès. Avant, il m'a fallu ramener à Eurysthée les mille bœufs de Géryon.

Iopè fit la grimace :

– Encore des bœufs... ! Je préfère entendre l'histoire des pommes.

– D'accord ! concéda Héraclès. Géryon, après tout, n'est qu'un monstre de plus, une créature hideuse qui risque de te faire faire des cauchemars...

Il poussa cependant un profond soupir. Le souvenir de cette neuvième épreuve était encore si vif ! Il lui avait fallu traverser l'Océan, affronter l'horrible chien Orthros à deux têtes, tuer le berger Eurytion qui vint au secours de son chien, s'emparer de mille bœufs et affronter pour finir la colère du monstre Géryon. Une année entière consacrée à ces bœufs ! Héraclès frémit. La pensée de l'épreuve qui l'attendait, sa descente aux Enfers, lui glaçait le sang. Il avait peur et ne pouvait se confier à personne.

– Alors ?

La petite voix têtue de Iopè l'arracha à ses sombres rêveries.

« L'épreuve des pommes, comme tu l'appelles, fut une des plus difficiles. Ce sont des pommes en or et Eurysthée m'ordonna de les voler !

– Ce sont des fruits sacrés, m'exclamai-je en l'entendant. Et tu sais que personne ne connaît l'emplacement du jardin des Hespérides !

J'étais d'autant plus furieux que je n'avais aucune idée du moyen de percer ce mystère. Qui pourrait m'indiquer l'endroit où trouver ces fameuses Pommes ? Et ne risquai-je pas en les volant de provoquer encore la colère des dieux ?

La seule chose que je savais, c'est que ces pommes avaient été données par Gaia, la Terre, en cadeau de noces lors du mariage d'Héra et de Zeus. On disait qu'Héra les avait trouvées si belles qu'elle les avait fait planter dans un endroit magnifique, aux confins du monde : le jardin des Hespérides. Je n'en savais pas plus.

Mon premier souci fut donc de m'informer du chemin qui conduisait à ce mystérieux jardin. Ne sachant où aller, je partis vers le nord, à travers la Macédoine. Partout où je passais, je faisais savoir que j'étais à la recherche du jardin des Hespérides. On me regardait en souriant ou avec beaucoup de pitié mais personne ne pouvait me renseigner. Puis je gagnai l'Illyrie jusqu'aux rives de l'Éridan où je rencontrai les nymphes du fleuve, filles de Thémis et de Zeus, qui vivaient dans une caverne.

Les nymphes étaient joueuses. Elles sautaient hors de l'eau comme de jolis dauphins et j'eus toutes les peines du monde à attirer leur attention. Quand elles me conseillèrent d'aller voir Nérée, le dieu marin, seul capable de me renseigner, j'eus du mal à les croire. En me parlant, elles n'avaient cessé de jouer et de crier en s'éclaboussant, partant et revenant vers moi avec désinvolture, si égoïstes et si futiles que, malgré leur beauté, elles étaient détestables.

Je trouvai Nérée assoupi sur un rocher. Il était tel qu'on me l'avait décrit dans les récits de mon enfance. Une longue barbe blanche couvrait son visage sillonné de rides. Et dans son sommeil, il avait l'air aussi bienveillant et sage que le sont les vieillards. Mais moi, j'étais de mauvaise humeur et je le secouai sans ménagement. D'abord surpris puis furieux de se voir traiter avec autant d'indélicatesse, le vieillard refusa d'abord de répondre à la moindre de mes questions. Comprenant alors que j'avais agi comme un sot, je tentai de l'amadouer en devenant mielleux :

– Pardonne-moi, grand dieu, de t'avoir dérangé mais je suis impatient. Voilà des semaines que j'erre à la recherche d'une indication et, jusque-là, personne n'a pu m'aider.

Nérée eut un regard mauvais. Loin de l'apaiser, mes efforts semblaient avoir redoublé sa colère. J'avais à peine fini ma phrase qu'il se métamorphosa en taureau et se rua sur moi. Je dus l'affronter et déployer toutes mes forces pour le contrôler ; et quand enfin je l'eus terrassé, alors que je le ligotai, il me glissa entre les mains et je me retrouvai face à un serpent ! Revenu de ma surprise, je l'attrapai par le cou pour l'étouffer mais il se tortillait autour de mon bras et me serrait si fort que je le vis devenir bleu. Nous luttions et je sentais peu à peu mes forces faiblir. Enfin, il reprit forme humaine et lança :

– Tu es aussi puissant que le prétend ta légende ! Et aussi arrogant et maladroit que le disent les vieilles, le soir, quand elles racontent ta vie au coin du feu ! Tu trouveras le jardin des Hespérides près du mont Atlas, aux limites de l'extrême occident. Mais sache que personne ne peut approcher l'arbre aux pommes d'or. Il est gardé par Ladon, le serpent aux mille têtes.

Je m'inclinai devant le vieillard, en m'excusant encore d'avoir été si brutal. Mais le vieillard ne m'écoutait plus. Il s'était rendormi.

Je me mis en route pour le mont Atlas. Et pour aller vers l'ouest, je devais traverser le mont Caucase. Il faisait un froid terrible et j'avançais lentement, m'enfonçant dans la neige jusqu'à la taille.

Un soir, alors que la nuit s'apprêtait à tomber, je fus arrêté par un spectacle effroyable. Sur l'un des sommets, à quelques pas de moi, un homme à l'allure de géant était enchaîné sur un rocher. Je le reconnus aussitôt : c'était Prométhée ! Un immense vautour fonçait sur lui et lui dévorait le foie avec son bec. Je savais comme tout le monde qu'il avait défié Zeus lui-même en dérobant le feu divin pour le donner aux hommes. C'est ainsi que Zeus l'avait puni, et ce pour l'éternité ! Sans réfléchir, touché au plus profond de moi-même par cette souffrance infinie, je décochai une flèche au vautour en plein vol. Puis je m'empressai de délivrer Prométhée.

Il soupira de soulagement, puis il prononça ces mots :

– En me délivrant, tu as défié Zeus lui-même.

Je réfléchis un instant. Et puis j'eus l'idée de casser un morceau de rocher que j'accrochai aussitôt aux poignets de Prométhée.

– Ne t'en sépare jamais, lui dis-je. Ainsi tu restes attaché malgré tout !

Je ne savais si ma ruse suffirait à calmer la colère du dieu des dieux. Mais j'avais le sentiment qu'à force de combattre les monstres et de revenir victorieux, j'avais peut-être gagné le droit à un peu d'indulgence. Et je crois que ce fut le cas.

Prométhée, pour me remercier, me déconseilla d'aller cueillir les pommes moi-même.

– Demande à mon frère Atlas de te venir en aide ! Lui saura ce qu'il faut faire ! Et surtout ne t'y rends pas toi-même, tu n'y arriverais pas !

Nous nous quittâmes chaleureusement. Je crois que j'avais un peu regagné son estime. Je n'avais pas oublié le regard qu'il m'avait jeté quand nous nous étions croisés dans la grotte de Chiron.

En suivant ses indications, je me retrouvai vite au pied du mont Atlas. J'accélérai mon allure, pressé de rencontrer le géant qui devait aller chercher les pommes à ma place. Je n'avais aucune idée de la manière dont j'allais le persuader. Mais j'avais compris qu'il était très dangereux de me passer de son aide.

Bientôt, je me retrouvai face à cet autre géant ! Il était colossal et, face à lui, je me sentais ridiculement petit. J'étais très impressionné. Atlas appartient à la génération divine antérieure à celle des Olympiens, celle des êtres monstrueux et sans mesure. Je savais qu'il avait participé à la lutte des Titans et des Dieux. Zeus, victorieux, l'avait condamné à soutenir sur ses épaules la voûte du ciel.

Atlas était face à moi, un genou à terre, le dos courbé et le visage défiguré par l'effort. Je le saluai et me présentai mais il ne dit mot.

– C'est Prométhée qui m'envoie et qui m'a dit que tu pourrais me venir en aide.

– Dis-moi ce que tu veux, étranger.

Je lui fis part de ma quête des pommes d'or et lui racontai comment j'avais délivré Prométhée de son rocher.

Atlas hésita. Et soudain il me demanda :

– Accepterais-tu de prendre la voûte sur tes épaules le temps que j'aille chercher les pommes ?

– Bien sûr, répondis-je sans réfléchir.

Et c'est ainsi que je me retrouvai avec le poids du ciel sur les épaules. Je dus déployer un effort surhumain pour ne pas m'écraser sur le sol tant le ciel était lourd. À mes côtés, Atlas s'étirait dans tous les sens et poussait de petits cris de plaisir à se sentir si léger.

– Dépêche-toi, Atlas, le suppliai-je, je ne sais pas si je vais pouvoir tenir longtemps !

Il s'en alla un long moment et je commençai à m'inquiéter. Allait-il revenir ? Mes épaules et mon genou brûlaient, je sentais mes muscles trembler et surtout mon cœur se serrait d'angoisse. J'imaginais Atlas gambader dans un jardin merveilleux. Où trouverait-il l'envie de revenir pour reprendre son fardeau ? Déjà, je maudissais Prométhée et ses conseils hasardeux quand le géant fit son apparition, portant dans ses mains trois pommes en or qui rayonnaient d'un éclat irréel.

Il me regarda longuement en silence et dit :

– Peut-être devrais-je moi-même rapporter ces fruits à Eurysthée et, après, je te jure, je reviens prendre ma place.

Mon intuition était juste. Atlas avait pris goût à sa liberté retrouvée. Je cachai mon angoisse et ma colère au fond de moi, et d'une voix que je voulais légère, je dis :

– Pourquoi pas ? Mais avant, pourrais-tu m'aider à installer un petit coussin sur mes épaules ? Tu es le seul à savoir combien ce ciel meurtrit le dos.

Le géant opina. Animé d'une pitié sincère, il reprit son fardeau. Et dès qu'il eut à nouveau le ciel sur les épaules, je m'écriai :

– Désolé, Atlas, je n'avais pas le choix.

C'est ainsi que je rapportai les pommes à Eurysthée. »

— Mais où sont-elles, s'écria Iopè, je ne les ai pas vues !

— C'est normal, rétorqua Héraclès. Eurysthée ne savait que faire de ces fruits volés aux dieux. C'était un sacrilège, alors il me les a rendus. C'est Athéna, la déesse de la Sagesse, qui est une fois de plus venue à mon secours. Elle les a rapportées au jardin des Hespérides car c'est là qu'est leur juste place.

Et maintenant, petite Iopè, il est grand temps que tu ailles te coucher.

— Tu reviendras, murmura Iopè, pour raconter encore ?

— Oui, je te promets de revenir à Mycènes si telle est la volonté des dieux, répondit Héraclès qui sentit son cœur se glacer d'effroi.

11

Le chien Cerbère

Héraclès avait quitté Mycènes à l'aube en prévision du long voyage qui l'attendait. Parti comme un voleur et sans saluer personne par crainte de se laisser submerger par l'émotion, il marchait depuis plusieurs heures et le soleil était haut dans le ciel. Il faisait une chaleur insensée, hommes et bêtes restaient tapis dans l'ombre, guettant le moindre souffle d'air dans cette atmosphère irrespirable. Si bien qu'Héraclès avançait dans un monde qui semblait déserté par toute vie, dans un silence angoissant, aspirant cet air brûlant comme un *présage* de ce qui l'attendait. Il marcha jusqu'à la nuit, se laissant guider par le hasard, incapable de s'orienter. Comment trouver l'entrée des Enfers ? À qui demander ?

Il erra ainsi pendant trois jours et trois nuits, sans savoir ce qu'il faisait, hagard, terrassé par la peur. Et soudain, épuisé, il se jeta à terre, et levant les mains vers le ciel, il implora son père :

— Zeus, maître de l'Égide, viens à mon aide ! Seul,

cette fois, je n'y parviendrai pas ! Ne t'ai-je pas prouvé ce dont j'étais capable ? Ne me suis-je pas soumis durant ces longues années à mon destin, puisque tel était ton désir ?

À peine eut-il achevé ces mots que deux personnes apparurent à ses côtés, souriant d'un air bienveillant. Surpris, il les regarda d'abord sans les reconnaître avant d'admettre qu'il s'agissait d'Hermès, le messager des dieux, et d'Athéna, la déesse de la Sagesse.

Ainsi, Zeus avait répondu à son appel. Héraclès n'était plus seul et il en fut soulagé. Mais il ne put s'empêcher de penser que, si Zeus avait envoyé deux de ses enfants, c'est qu'il jugeait lui aussi l'épreuve particulièrement dangereuse.

Athéna le regardait avec attention et semblait lire sur son visage les questions qui le taraudaient.

– Ne crains rien, dit-elle, nous sommes là et nous ferons tout pour t'apporter notre aide !

Ils se mirent en route.

Le voyage dura plusieurs mois. Il leur fallut traverser toute la Grèce et arriver aux confins du monde.

– Nous y sommes ! s'exclama Hermès, un soir alors que l'automne approchait.

Ils se trouvaient devant l'entrée d'une grotte comme il en existe des centaines en Grèce. Le cœur battant, Héraclès s'enfonça sous la terre, suivant son guide.

Le chemin se rétrécissait, l'air se faisait rare. Il leur fallut plus d'une fois s'allonger à même le sol, tant le passage entre les roches était étroit. Ils finirent par déboucher sur un grand lac qu'ils traversèrent à la nage. Héraclès ne disait pas un mot, évitait de penser, concentré sur chacun de ses pas. Bientôt, il entendit des plaintes lugubres, suivis de cris déchirants qui lui glacèrent le sang. Il s'interdit de poser des questions. Les réponses risquaient de le faire fuir.

Les Enfers étaient tantôt entourés d'une eau stagnante, tantôt de fleuves aussi noirs qu'une nuit opaque. Hermès lui désigna l'un d'entre eux comme étant l'Achéron, fleuve des douleurs.

– Et puis voilà le Styx, c'est là que nous devons te laisser.

Le corps d'Héraclès se raidit. Il serra les poings, cherchant à rassembler ses forces tandis qu'il voyait approcher doucement une barque conduite par un vieillard hideux qui souriait en ouvrant grand sa bouche édentée. Héraclès aurait voulu se jeter dans les bras d'Athéna et la supplier de le ramener dans le monde des vivants. Il se sentait comme un enfant, il avait toujours eu peur du noir.

Athéna s'approcha et lui souffla à l'oreille :

– Quand tu seras devant Cerbère, souviens-toi du lion de Némée. Ce n'est pas plus difficile...

Elle souriait comme pour l'encourager. Mais déjà, ils rebroussaient chemin, et Héraclès se retrouva seul devant le vieillard dont il pouvait à peine discerner les traits. Il avait une barbe longue et sale, ses yeux lançaient des flammes, il était repoussant.

– Monte ! hurla-t-il. Toi, tu n'as pas besoin de payer, je sais que l'on t'attend.

Héraclès obéit.

Alors commença une bien étrange traversée.

Des ombres à forme humaine couraient le long du Styx, gémissant, tendant des bras qui n'en étaient plus, flottant dans cet air pestilentiel. Le vieux Charon les repoussait en grognant, les menaçant de les envoyer tour à tour dans un désert peuplé de serpents et de monstres, puis dans le Tartare. Héraclès comprit peu à peu qu'ils étaient promis au pire des supplices, condamnés à être dévorés pour l'éternité, à brûler dans des flammes qui ne s'éteindraient jamais, ou à croupir dans des marais obscurs. D'autres, les Justes, pouvaient s'épanouir dans des prairies semées de roses sous une lumière éternelle.

Mais l'un d'entre eux s'approcha de très près, s'agrippant à Héraclès et empêchant la barque de poursuivre sa route. Héraclès tenta de se débarrasser de lui mais en vain. Alors il sortit son glaive et le planta dans ce qu'il croyait être le corps de son agresseur. Charon éclata de rire :

– Il est mort ! Tu ne peux pas le tuer une deuxième fois. Écoute-le plutôt, je crois qu'il veut te parler.

Penaud, Héraclès rangea son arme et se tourna vers cette ombre qui cherchait son attention.

– Je suis Méléagre, je n'ai que peu de temps pour te parler. Comme toi, je suis victime de la colère des dieux. Mon père Œnée avait offert un sacrifice à toutes les divinités mais il avait oublié Artémis. Pour se venger, elle envoya un sanglier qui ravagea le pays et qu'il me fallut combattre. J'allais gagner quand, pris de folie, je tuai les frères de ma mère qui me maudit. Craignant de commettre d'autres crimes, je me retirai chez moi, refusant de mettre les miens en danger. Mais les dieux ont continué de s'acharner contre moi et je suis condamné à errer ici pour l'éternité. La seule qui est en vie encore est ma sœur Déjanire. Je te supplie, Héraclès, pour la paix de mon âme, quand tu seras sorti d'ici, d'aller la trouver et de lui dire combien je l'aime et quelle torture est la mienne, la sachant seule et sans défense. Promets-moi.

– Je t'en fais la promesse, par le plus grand des serments, répondit Héraclès, profondément touché par le récit de Méléagre.

Qui mieux que lui pouvait comprendre ce que c'est que de vivre pourchassé par la colère divine ?

Charon reprit son chemin sans attendre davantage. Bientôt, ils accostèrent.

Héraclès regarda Charon s'éloigner dans sa barque et se retrouva seul, étranger dans ce monde inconnu.

Il fit quelques pas, trébucha, se retint par la main sur une paroi gluante qui le fit sursauter. Les cris étouffés des suppliciés parvenaient jusqu'à lui, accroissant son angoisse. Soudain, le sentier escarpé sur lequel il avançait s'élargit pour laisser place à une immense salle, encore plus sombre et étouffante que les lieux qu'il avait vus jusqu'à présent.

Une voix de femme grave et rauque s'élève jusqu'à lui :

– Sois le bienvenu, Héraclès, et approche sans crainte !

Héraclès hésita. Il n'avait qu'une envie : s'enfuir à toutes jambes. Mais avait-il le choix ? Il ne distinguait rien dans cette pénombre humide qu'une ombre menaçante, immense, informe.

Un rire moqueur retentit.

– C'est bien toi le héros dont toute la Grèce s'enorgueillit ? À te voir aujourd'hui, on pourrait croire le contraire !

Ces mots piquèrent son orgueil et il serra le poing autour de sa massue, dont il savait pourtant qu'elle ne pouvait lui être d'aucun secours. Comment se battre contre ce qui est déjà mort ? Il avança d'un pas qui se voulait plus résolu. Et enfin, il put distinguer Perséphone, la femme d'Hadès, le dieu des Enfers.

– Fais encore quelques pas, dit-elle. Je suis heureuse de te voir. Les visites ici sont si rares, ajouta-t-elle d'un ton plein d'amertume. Et on se lasse de tout, même du spectacle de la douleur, et pour une déesse comme moi, connue pour sa cruauté, c'est bien le pire des supplices. Mais approche encore un peu que je t'embrasse...

Héraclès s'inclina et dut tendre sa joue, en cachant le dégoût qu'il éprouvait devant cette sorcière aux ongles aussi longs que ses cheveux. Pourtant, il avait entendu dire qu'elle était belle...

— Je suis chargée de te conduire auprès d'Hadès, mon mari. Suis-moi.

Ils parcoururent de longs couloirs sinistres avant d'arriver à ce qui devait être la chambre du dieu des Enfers. Il était assis nonchalamment sur un siège. Héraclès aperçut à ses côtés Cerbère, le gardien des Enfers, le monstre à trois têtes.

Héraclès s'agenouilla.

— Je m'appelle Héraclès et je dois, sur ordre d'Eurysthée, mon cousin, ramener ton chien Cerbère.

Hadès eut un sourire hideux.

— Zeus, mon frère, m'a parlé de toi ! C'est pourquoi je t'ai laissé entrer ici. Mais pour ce qui est de Cerbère, je ne veux pas m'en séparer, c'est mon plus fidèle compagnon.

Et en disant ces mots, il lui caressa l'une de ses têtes. L'animal grogna et les crocs de chacune des trois mâchoires brillèrent dans le noir. Héraclès frémit mais n'en montra rien.

— Alors, voilà ce que j'ai décidé puisqu'il m'est difficile de m'opposer à une demande de Zeus. Je t'interdis d'utiliser tes armes et ton bouclier pour te battre. Il te faudra le faire à mains nues.

Héraclès hocha la tête. Hadès savait qu'il livrait le héros à une mort certaine. Mais personne ne pourrait l'accuser de ne pas avoir obéi à son frère !

Alors le combat commença.

Protégé par sa cuirasse, enveloppé de sa peau de lion, Héraclès partit à l'assaut du monstre. Ses trois gueules ouvertes se refermaient sur lui. Il avait trois longs cous qui se tortillaient à une vitesse vertigineuse pour s'enrouler autour d'Héraclès et tenter de le mordre. Ce dernier esquivait l'attaque d'une tête, mais l'autre s'acharnait dans son dos. Il recula, essoufflé. Les paroles d'Athéna lui revinrent en mémoire. Il fallait essayer de l'étouffer.

Il posa un genou sur le sol et ramassa de la terre avec ses mains qu'il jeta dans les trois paires d'yeux rouges et injectées de sang qui lui faisaient face. Surpris, Cerbère se secoua dans tous les sens, furieux et aveuglé. Héraclès en profita pour lui sauter dessus et, l'encerclant de ses bras, entreprit de l'étouffer. Il serrait de toutes ses forces, luttant contre les soubresauts enragés du monstre. Petit à petit, il le sentait faiblir, alors il redoubla d'efforts. Déjà un râlement d'agonie s'élevait dans la salle. Hadès intervint :

– Arrête ! je ne veux pas qu'il meure !

– Alors donne-moi une chaîne pour que je puisse le ramener à Mycènes.

Hadès était furieux mais il dut obéir.

– Et donne lui l'ordre de ne pas m'attaquer ! poursuivit Héraclès.

Hadès marmonna quelques mots en caressant les têtes de son chien comme s'il s'agissait d'un chiot maltraité.

– Je veux qu'il revienne sain et sauf ! tonna le dieu des Enfers avant de disparaître.

Et c'est ainsi qu'Héraclès entra au bout de dix longues années victorieux à Mycènes. Il ne cachait pas sa joie mais n'eut pas le plaisir de contempler le visage de son cousin qui, terrorisé à l'idée de voir le gardien des Enfers devant lui, avait retrouvé sa cachette favorite. Il ne parut pas au palais pendant des semaines durant lesquelles on fêta la victoire du héros.

12
Un mariage fatal

Héraclès était donc arrivé au terme de ses longues épreuves. Il prit d'abord un plaisir infini à fêter ses victoires, profitant de la présence de sa mère, de celle de Iolaos, jouant des heures entières avec sa nièce Iopè.

Mais à la vérité, très vite, il s'ennuya. Durant ces longues années, il avait pris l'habitude de vivre seul, au grand air, au milieu des bêtes plus qu'en compagnie des hommes, toujours sur le qui-vive, guettant les dangers, s'affrontant aux éléments, et l'espace du palais lui semblait bien étroit. Il ne rêvait que de vivre d'autres aventures.

Il profita de la promesse faite à Méléagre pour repartir sur les routes. Il lui fallait rencontrer Déjanire et s'assurer de sa protection, raconta-t-il à ses hôtes. Mais il reviendrait vite...

Déjanire vivait à Calydon chez son père Œnée. C'était une jeune femme d'une beauté si flamboyante que, chaque jour, des prétendants demandaient sa main. Elle refusait toujours malgré l'insistance avec laquelle Œnée cherchait à la marier. Elle leur trouvait quantité de défauts et, à ses yeux, toujours, ils manquaient d'envergure. Elle les trouvait falots, ternes et tellement ennuyeux. Il faut dire qu'elle leur faisait un peu peur. La première chose qu'elle exigeait d'eux, c'était de faire une course de char avec elle.

La plupart en riaient, moqueurs et arrogants, refusant de se mesurer à une femme, certains de leur victoire, choqués aussi de ne pas la voir à la place qu'ils avaient imaginée pour elle, au foyer. Mais ceux qui relevaient le défi ne s'en remettaient pas. Elle était plus forte qu'eux et cela leur ôtait à jamais l'envie de l'épouser.

Lorsque Héraclès parvint à Calydon, il s'attendait à rencontrer une demoiselle fragile en mal de protection. N'est-ce pas la mission que lui avait confiée Méléagre : protéger sa sœur ? Quelle ne fut pas sa surprise de découvrir une femme non seulement incroyablement belle mais surtout prodigieusement sauvage et fière !

Il fut immédiatement conquis mais se garda bien de le lui montrer. Quand elle le défia au char, il accepta avec plaisir. La vérité, c'est qu'elle était si habile qu'elle faillit l'emporter. Mais nul n'avait jamais surpassé Héraclès. Pris par le plaisir du défi, il oublia qu'elle était femme et qu'il voulait la séduire. Il en était presque gêné, maugréant qu'il eût été plus galant de lui faire croire qu'elle était la plus forte. Mais elle le rassura. Elle aurait été offensée de sentir qu'il trichait juste pour lui plaire. Alors il put lui dire qu'il la trouvait incroyablement belle et il la fit rougir.

Œnée, voyant sa fille baisser les yeux, se réjouit. C'était la première fois qu'il la voyait troublée.

Les jours suivants, ils se cessèrent de s'affronter. Déjanire était experte dans l'art de la guerre. Elle lui raconta qu'à la mort de Méléagre, elle et ses sœurs avaient été changées en pintades. Mais à la demande de Dionysos, elle avait pu reprendre forme humaine. Héraclès comprit alors l'inquiétude de Méléagre. Il était mort en voyant sa sœur en danger. Or elle ne l'était plus ! Il avait donc tenu la promesse qu'il avait faite au mort. Il aurait pu repartir. Mais il ne partit pas. Il était tombé éperdument amoureux !

Il mit des semaines à demander Déjanire en mariage. Intimidé par sa force et par sa beauté, il n'osait pas. Pourtant, il fallait être aveugle pour ne pas s'apercevoir qu'elle aussi était absolument séduite.

Les noces furent célébrées à Calydon où ils vécurent heureux. Bientôt, Déjanire donna naissance à un premier enfant qu'ils prénommèrent Hyllos. Héraclès rêvait de présenter sa famille à sa mère. Revenir à Mycènes, tel était son désir.

Et bientôt, ils se mirent en route. Mais avant leur départ, Œnée prit sa fille à part. Il tenait à lui faire quelques recommandations :

— Tu es heureuse, Déjanire, je le vois. Mais prends garde à ne pas gâcher ton bonheur ! Ton tempérament pourrait te causer des soucis.

Déjanire fronça les sourcils. Elle détestait par-dessus tout qu'on essaie de lui dicter sa conduite. Elle haussa les épaules et s'apprêtait à partir quand Œnée ajouta :

— Je te connais, ma fille, je vois quel feu te dévore chaque jour un peu plus.

Elle savait que son père avait raison mais elle se moqua de ses conseils. « Qu'est-ce qu'un homme aussi vieux, et qui plus est son père, pouvait connaître des joies et des tourments de l'amour ? » se dit-elle en secret.

Car Déjanire était une femme jalouse, terriblement jalouse. Dès qu'une autre femme approchait son mari, qu'elle fût jeune, vieille, pauvre ou riche, elle imaginait aussitôt qu'elle voulait prendre sa place et lui ravir Héraclès. Or, son mari était le héros dont toute la Grèce parlait. Et nombreuses étaient les femmes qui cherchaient à lui plaire. Mais Héraclès ignorait leurs avances. Il était heureux et connaissait trop le prix du bonheur pour prendre le risque de le perdre.

Mais peut-on changer son destin ? La jalousie est un monstre qui se nourrit de lui-même.

Sur le chemin de Mycènes, alors qu'ils s'apprêtaient avec difficulté à passer une rivière en crue,
un Centaure du nom de Nessos proposa son aide.
D'abord, Héraclès refusa. Il pouvait, quant à lui,
traverser la rivière à la nage. Déjanire insista. Pourquoi rendre le voyage plus difficile qu'il n'était déjà ?
Héraclès renonça à lui expliquer les raisons de ses
réticences. Il n'aimait pas les Centaures, s'en méfiait
depuis qu'il avait eu à les combattre, mais il savait
qu'il était impossible de faire entendre raison à son
épouse têtue. Il la laissa donc traverser la rivière
dans la barque du Centaure.

Il était déjà sur l'autre rive, guettant de loin
l'avancée de la traversée, quand il entendit des cris
épouvantables. Nessos avait arrêté la barque et
tentait de violer Déjanire. Horrifié, Héraclès se saisit d'une flèche dans son carquois, visa le Centaure
et le toucha en plein cœur. Toutefois, alors qu'il
était à l'agonie, le Centaure versa un peu de son
sang dans une fiole qu'il tendit à Déjanire, lui
disant que c'était un philtre d'amour. Une fois bu,
il lui assurerait un amour éternel. Jamais plus Héraclès ne regarderait une autre femme !

Déjanire s'en empara aussitôt. Pas un instant,
elle ne douta de ses paroles. Et pourtant ! Si la
jalousie ne l'avait pas rongée, comment aurait-elle
pu ignorer qu'il s'agissait d'un piège ?

Le soir, les voyageurs firent escale à Trachis. Ils y furent accueillis par le roi Céyx qui leur présenta sa fille Iole. Déjanire sentit aussitôt le feu de la jalousie la dévorer. La nuit même, désirant réveiller chez son mari un amour qu'elle croyait en danger, elle teignit une tunique de la drogue que lui avait donnée Nessos. Héraclès, étonné mais confiant, enfila la tunique. Et dès qu'elle toucha sa peau, une brûlure dévorante déchira son corps. Il se mit à hurler de douleur sous les yeux effarés de sa femme. Elle se jeta à ses genoux, se roula à ses pieds de désespoir mais il était trop tard. Héraclès s'arrachait la peau tant la douleur était vive. Déjanire eut le temps de confesser sa faute.

Alors Héraclès se dit : « Ce sang est celui de l'Hydre de Lerne ! Ainsi mon pressentiment était juste. Même morte, l'hydre m'a poursuivi comme une malédiction ! C'est à elle que je devrai ma mort ! »

Et il s'enfuit.

Déjanire, désespérée de voir l'homme qu'elle aimait, souffrir et bientôt mort par sa faute, se jeta par la fenêtre.

Héraclès courut longtemps comme pour fuir sa douleur. Enfin, ne pouvant supporter plus longtemps les atroces souffrances dont il était la proie, il choisit de se brûler sur le mont Œta.

Mais, tandis qu'il se consumait, un char apparut. Le conducteur n'était autre qu'Hermès. Zeus l'avait envoyé pour enlever Héraclès à la Terre et l'emmener sur l'Olympe.

— Il est temps que mon fils devienne un dieu à part entière, avait-il ordonné.

Et c'est ainsi qu'Héraclès obtint l'immortalité.

Mais là-haut, dans l'Olympe, il lui restait un dernier défi à relever : se réconcilier avec Héra.

On raconte qu'elle finit par l'adopter et lui donna, pour preuve de sa bonne foi, sa propre fille en mariage, Hébé.

Carnet
de lecture

Qui a écrit
Les Douze Travaux d'Hercule?

Héraclès, le héros aux milles légendes

Héraclès, que les Romains appelaient Hercule, est le héros le plus célèbre et le plus populaire de toute la mythologie classique.

Les légendes dans lesquelles il figure sont extrêmement nombreuses et n'ont cessé d'évoluer de l'époque préhellénique jusqu'à la fin de l'Antiquité, c'est-à-dire de − 3500 avant J.-C. jusqu'à l'an 600, soit une période s'étalant sur près de quatre mille ans !

Les spécialistes de la mythologie sont loin d'être d'accord sur les origines du héros. Pour certains, il serait issu de l'Argolide et de Tyrinthe. Pour d'autres, il viendrait de Thèbes et aurait donc pour patrie la Béotie, petit terroir grec qui a donné naissance à maints autres dieux. D'autres lui prêtent des origines crétoises. On comprend pourquoi des éléments contradictoires se mêlent dans les légendes bâties autour d'Héraclès ! Tout se passe comme si, dans toutes les régions de la Grèce, et à toutes les époques, chaque cité avait cherché à s'approprier une partie de l'histoire du héros, l'inventant, la réinventant, la nourrissant de détails différents.

C'est ainsi que naissent les mythes et les légendes…

Et Héraclès devint Hercule…

À une époque tardive, entre le IIe et le Ier siècle avant J.-C., deux mythographes (on appelle ainsi des spécialistes qui compilent et étudient les mythes) ont cherché à rassembler ces légendes et à les organiser pour en faire un récit cohérent.

Le premier se nomme Apollodore d'Athènes. Le second est Diodore de Sicile. Cent années séparent leurs deux ouvrages et ils ne sont d'accord sur rien : ni sur l'ordre des travaux, ni sur l'origine du héros et encore moins sur son tempérament.

Les Romains vont s'emparer du mythe à leur tour. On sait qu'Héraclès était adoré dans la plupart des grandes villes de l'Italie méridionale. À Rome, on lui rendait hommage dans plusieurs sanctuaires. C'est ainsi qu'Héraclès devient Hercule…

En puisant chez les Grecs et les Romains, nous ne disposons, pour retracer l'histoire de notre héros, que de textes incomplets et de papyrus déchirés. Dans ces conditions, comment raconter de façon cohérente l'histoire mouvementée d'Héraclès ?

Comment raconter l'histoire d'Héraclès ?

Pour raconter les douze travaux d'Hercule dans cet ouvrage, il a fallu choisir entre toutes ces versions. Elles sont nombreuses, riches, souvent contradictoires, parfois complémentaires : il y a évidemment le livre II de la *Bibliothèque d'Apollodore*, le livre IV de la *Bibliothèque de Diodore de Sicile*. Mais il y a aussi Homère, Hésiode et Euripide, pour les sources grecques. Ovide et Virgile, auteurs latins, ont aussi proposé leur version du mythe. Nous avons donc pioché ici et là, mélangé les époques, les auteurs et les récits, tentant de faire vivre au sein même du texte la multiplicité des sources. Ainsi en est-il du premier épisode qui témoigne de la force prodigieuse de notre héros : âgé de quelques mois seulement, Héraclès étouffe deux serpents. La plupart des auteurs racontent que ces serpents étaient envoyés par Héra. Nous avons préféré nous appuyer sur les auteurs qui rendent son père Amphitryon responsable de cet acte, rongé qu'il est par la jalousie, tout en maintenant l'hypothèse qu'il pouvait s'agir d'une action voulue par Héra.

D'une manière générale, nous avons tenté de faire de notre héros un personnage ambivalent. Héraclès, dans les premiers textes qui sont parvenus jusqu'à nous, apparaît comme une brute, sans remords ni états d'âme, un conquérant fier de sa force et content des massacres qu'il ne cesse de perpétrer. Ce n'est que plus tard, chez Diodore de Sicile puis chez Ovide, qu'il devient un être en proie au doute, tiraillé entre sa nature divine et sa nature humaine.

Ce qui rend Héraclès passionnant pour un lecteur d'aujourd'hui, c'est qu'il est, dans sa jeunesse, tiraillé entre une force démesurée, pulsionnelle, destructrice, et la nécessité de la contrôler pour grandir et devenir un homme, en paix avec lui-même. Toutes ces épreuves qu'il doit surmonter, tous ces monstres qu'il a à affronter sont comme autant de symboles des luttes qu'un homme ne cesse de mener avec lui-même, avec les autres, avec le monde entier. Comme si Héraclès – et Hercule après lui – continuait d'incarner pour nous ce combat entre des forces contraires, la vie et la mort, qui en nous ne cessent de s'affronter.

Hercule, un héros trop humain?

Le héros de tous les Grecs

Le terme de « héros » a des sens bien distincts selon les périodes de l'histoire grecque. Chez Homère, il désigne les guerriers les plus vaillants, les chefs par opposition aux hommes du peuple.

Ce n'est qu'à partir du ve siècle avant J.-C. que la croyance commune considère les héros comme des morts élevés à la dignité de héros. Le héros a d'abord été un mortel ; il a vécu l'existence de tous les autres hommes sans privilège ni pouvoir surhumain. Après sa mort, on en appelle à sa puissance pour être protégé, et il fait l'objet d'un culte.

Héraclès fait partie, comme Dionysos, devenu dieu du Vin et de la Vigne, fils de Zeus et de la mortelle Sémélé, de ces héros dont le destin est chanté par les aèdes, des poètes qui racontaient leur histoire dans toute la Grèce. La légende d'Héraclès est comme au fondement même de l'identité des Grecs.

Héraclès, dieu ou héros?

Les exploits d'Héraclès sont sans doute purement imaginaires. Mais leur nombre et leur prestige sont tels qu'ils confèrent l'immortalité à celui qui les a accomplis.

Comme Dionysos, c'est un héros presque divinisé. Ainsi Héraclès est-il, après sa mort, admis dans l'assemblée des dieux.

Hérodote, auteur grec du Ve siècle, signale que les Grecs ont élevé deux sortes de sanctuaires à Héraclès : dans les uns, il est honoré comme un dieu ; dans les autres comme un héros. Homère, dans le chant XI de l'*Odyssée*, raconte qu'Héraclès est à la fois un fantôme des Enfers et un hôte des dieux immortels, festoyant avec eux.

À l'origine, le culte du héros est lié à l'existence d'un tombeau. On suppose que le mort, ayant intérêt à protéger sa sépulture, défendra également la ville ou le pays qui la possèdent. Le culte rendu aux héros est très voisin de celui que reçoivent les divinités. Il y a pourtant quelques différences : les offrandes et les prières adressées aux dieux le matin sont adressées aux héros le soir. La victime qu'on sacrifie aux dieux a la tête renversée en arrière ; celle que l'on immole aux héros est courbée vers le sol. Le sacrifice n'a pas lieu sur un autel proprement dit mais sur un foyer assez bas. Outre les sacrifices sanglants, on offre aux héros des libations de lait, miel, eau, huile et des prières. On célèbre en leur honneur un repas, et l'on croit qu'ils y assistent !

Un héros qui nous ressemble

Héraclès est donc un personnage complexe, à la fois dieu et mortel. Il représente à la fois l'homme grec et son idéal – l'homme tel qu'il se voyait, avec ses faiblesses,

ses défauts, et un idéal de lutte têtue, opiniâtre, contre l'adversité. Il est très éloigné de l'image qui se dégage de lui dans l'expression «fort comme Hercule». Il n'a rien d'un être brutal et sanguinaire à l'image des monstres qu'il combat. Il n'est ni insensible ni invulnérable. Il pleure souvent, anéanti qu'il est par les malheurs qui s'abattent sur lui.

Mais, à travers difficultés et échecs, Héraclès est par excellence le vainqueur de la mort. Il est descendu dans l'Hadès chercher le chien Cerbère, préparant sa propre immortalisation. Le tableau du bonheur éternel d'Héraclès est précisément égal à l'ampleur de ses exploits. Il est, dans la bouche de Tirésias le devin, présenté comme un héros justicier au service de la loi.

Pourtant, son comportement sur Terre est loin d'être exemplaire. Auteur d'un crime atroce (il a assassiné son précepteur), en proie à la colère, ne maîtrisant pas sa force, il est aussi un être humain dépassé par lui-même.

Mais n'est-ce pas tous ces défauts qui vont lui permettre de se hisser au niveau d'un héros légendaire qui traversera le temps? C'est parce qu'il est violent, incontrôlable, orgueilleux et gourmand qu'on peut s'identifier à lui, comprendre ce qui l'anime. Pour arriver à grandir, ne nous faut-il pas nous aussi faire preuve de force, d'habileté, de ruse et d'inventivité? Comme si la victoire ne pouvait prendre toute sa valeur qu'à la mesure du combat qu'Héraclès a mené d'abord contre lui-même, éprouvant ses limites pour accéder au statut d'immortel.

L'hydre de Lerne
a-t-elle existé?

Un héros a besoin d'adversaires!

Que serait Hercule sans les terribles monstres qu'il a à combattre? Un homme ne peut devenir un héros qu'en trouvant des adversaires à sa mesure! Le monstre existe donc pour faire opposition au héros. Dans un juste partage des tâches, à force égale, l'un incarne le bien, l'autre le mal. Au héros la charge d'expulser du monde tout ce qui l'abîme.

C'est bien le sens et la force de la prédiction de Tirésias le devin: «Ton destin est de tuer toutes les bêtes ignorantes de la justice et tous les hommes que l'arrogance mène hors du droit chemin.»

Héraclès face aux monstres

Les monstres de la mythologie sont des êtres telluriques, c'est-à-dire provenant de la Terre, dont la naissance remonte aux premiers âges du monde créé. Le lion de Némée et l'Hydre de Lerne sont nés en des temps immémoriaux, quand le monde n'était encore que le Chaos, sans distinction de formes, sans limites, avant même que Zeus ne soit devenu le dieu des dieux en combattant les Titans.

Les monstres symbolisent, en quelque sorte, le chaos primitif marqué par la violence. Ils représentent les forces brutales de la nature et de l'instinct contre lesquelles les dieux vont s'organiser et lutter. Mais ces monstres ne s'avouent jamais vaincus. Incarnation du mal, ils ont pour fonction de mettre en évidence la fragilité de la paix des dieux et des hommes. Ils invitent l'homme à l'humilité, à lui faire prendre conscience de sa petitesse face aux forces de la nature.

Le triomphe du héros sur le monstre symbolise la victoire sur des forces puissantes, si puissantes qu'elles se multiplient sans cesse, en tout lieu et à tout moment, à l'image des têtes de l'Hydre qui se nourrissent de leur propre mort pour renaître...

L'histoire d'Hercule ne s'arrête d'ailleurs pas à l'achèvement des douze travaux. De nombreux textes le mettent en scène dans des combats divers, comme si on ne pouvait achever le récit d'une lutte éternelle avec les forces désordonnées, incontrôlables et qui ne cessent de renaître au fil du temps pour mettre à mal l'équilibre et l'harmonie du monde.

Les monstres naissent de nos peurs...

Comment expliquer la présence récurrente de ces monstres dans toutes les mythologies, dans les contes – mais aussi, plus près de nous, dans les films et les jeux vidéo ? Comment ne pas y voir, l'incarnation de toutes les peurs qui nous agitent depuis l'enfance, de nos angoisses les plus profondes ?

Le monstre, débarrassé de toute morale, de toute conscience, est bien celui qui nous menace, nous pourchasse et cherche à nous anéantir. Le monstre est celui qui hante nos cauchemars et qui, par pur instinct sadique, veut nous dévorer, nous piétiner, nous faire disparaître.

Ainsi les juments de Diomède, furieuses, carnassières, avalant sans distinction toute chair humaine à portée de leurs dents, ne rechignent pas à déguster Diomède lui-même, leur maître en personne ! Le chien Cerbère, le lion de Némée, le sanglier d'Érymanthe ont tous des dents aussi longues et acérées que nous pouvons l'imaginer... Mais Héraclès est là, il lutte, combat et gagne, trouvant un peu de sérénité... jusqu'au prochain combat !

Thèbes et Mycènes,
deux cités grecques

Les Douze Travaux d'Hercule évoquent deux importantes cités grecques, Thèbes et Mycènes. C'est à Thèbes qu'est élevé Héraclès depuis que son père, roi déchu, a quitté Mycènes.

Mais qu'appelle-t-on une « cité », dans la Grèce antique ? Le mot désigne un petit État indépendant, composé d'une ville, de la campagne environnante, parfois d'un rivage maritime.

Les cités grecques ont connu divers régimes politiques. Certaines ont une forme de gouvernement appelé « oligarchie », où l'autorité est entre les mains d'un petit nombre de personnes. D'autres sont des démocraties : le gouvernement appartient à tous les citoyens. Les plus célèbres d'entre elles sont Athènes, Sparte, Mycènes et Thèbes.

L'histoire des origines de chaque cité fait souvent l'objet d'un récit mythologique.

Thèbes

Le fondateur de Thèbes se nomme Cadmos. Il est le fils d'Agénor et le frère d'Europe. Un jour, sa sœur Europe est enlevée par… Zeus lui-même qui, cette fois, s'est transformé en taureau. Agénor demande à son fils Cadmos de partir à la recherche de sa sœur. Sa quête dure longtemps et reste sans succès. Cadmos va alors consulter la Pythie qui lui conseille de renoncer à retrouver sa sœur et l'exhorte à fonder une ville : Thèbes. Après quelques mésaventures, et avec l'aide d'Athéna, Cadmos parvient à fonder Thèbes.

Si Thèbes est aussi célèbre dans la mythologie, c'est aussi parce qu'elle est la ville qui voit naître Œdipe, arrière-petit-fils de Cadmos. Œdipe, héros tragique par excellence, qui tue son père et épouse sa mère avant de se crever les yeux pour se punir d'avoir commis de tels crimes !

Mycènes

Cette ville s'élève sur des collines arides, en Argolide. Il existe aujourd'hui un site archéologique très riche qui nous donne beaucoup d'informations sur la civilisation mycénienne.

On dit qu'elle a été fondée par Persée, le grand-père d'Héraclès. Or, Persée est aussi fils de Zeus et d'une mortelle, Danaé. Alors que le père de Danaé l'avait enfermée dans une tour pour empêcher une prédiction de s'accomplir, Zeus, passant par là, se transforma en pluie d'or pour féconder la belle Danaé qui mit au monde quelques mois plus tard un garçon dénommé Persée.

Mais Mycènes est aussi la ville des Atrides, dont le roi le plus célèbre est Agamemnon, le chef incontesté de la guerre de Troie que raconte Homère dans l'*Iliade*.

Dieux et divinités
de la mythologie grecque

Zeus

Il est le plus grand des dieux du panthéon hellénique. Il provoque la pluie, lance la foudre et les éclairs, mais surtout il maintient l'ordre et la justice dans le monde. Chargé de purifier les meurtriers de la souillure du sang, il veille à la conservation des serments que prononcent les hommes ou les dieux.

Héra

Héra est la plus grande des déesses olympiennes. Comme femme légitime du premier des dieux, elle est la protectrice des épouses. On la représente souvent comme jalouse et violente.

Hadès

Il est le dieu des Morts et le frère de Zeus. Maître du monde ténébreux des Enfers, c'est un dieu impitoyable qui ne permet à personne de revenir parmi les vivants. Il est assisté de démons comme Charon le passeur. Son épouse Perséphone règne auprès de lui et est tout aussi cruelle.

Poséidon

Frère de Zeus et d'Hadès. Dieu de la Mer et des Rivages. Il est également le dieu des Tremblements de terre, manifestation de ses terribles colères.

Athéna

Fille de Zeus et de Métis, la toute première femme de Zeus, Athéna est une déesse guerrière qui joue un rôle important dans tous les combats racontés dans l'*Iliade*. Elle vient souvent en aide aux héros, à Ulysse mais aussi à Héraclès. Ce soutien symbolise la protection de l'esprit face à la force brutale. Elle est dès lors associée dans le monde grec à la Raison. C'est aussi elle qui préside aux arts et à la littérature.

Hermès

Fils de Zeus, Hermès est le messager des dieux et le protecteur des voyageurs. Il intervient souvent comme un personnage secondaire, protecteur des héros. On représente Hermès chaussé de sandales ailées et coiffé d'un chapeau à larges bords.

Artémis

Elle est la fille de Zeus et sœur jumelle d'Apollon, dieu de la Beauté. Artémis est la déesse de la Chasse. Elle reste vierge, éternellement jeune, et est armée d'un arc.

Nérée

Il est l'un des «vieillards de la mer», fils de Gaia (la Terre). Il compte parmi les dieux des forces élémentaires du monde, antérieur donc au dieu de la Mer, Poséidon.

Chiron

Célèbre Centaure, fils de Cronos et d'une nymphe. Il diffère des autres Centaures à la fois par cette origine et par son caractère bienveillant. Fin connaisseur des plantes, il maîtrise l'art de guérir les hommes et les animaux. Il choisit de mourir pour mettre fin aux douleurs insupportables dues à une flèche empoisonnée par le sang de l'Hydre.

Atlas

Atlas est un Titan; les Titans sont issus d'Ouranos et de Gaia (le Ciel et la Terre) qui gouvernèrent le monde avant Zeus et les Olympiens. Atlas a été puni par Zeus après la défaite des Titans, condamné à porter le ciel sur sa tête.

Table des matières

Le papier de cet ouvrage est composé de fibres naturelles, renouvelables,
recyclables et fabriquées à partir de bois provenant
de forêts gérées durablement.

Mise en pages : Didier Gatepaille

Loi n° 49-956 du 16 juillet 1949
sur les publications destinées à la jeunesse
ISBN : 978-2-07-064871-9
Numéro d'édition : 276927
1er dépôt légal : juin 2013
Dépôt légal : août 2014

Imprimé en Espagne par Novoprint (Barcelone)